DE LA MÊME AUTRICE

Les âmes sauvages. Face à l'Occident, la résistance d'un peuple d'Alaska, *La Découverte, « Les empêcheurs de penser en rond », 2016 ; La Découverte Poche, 2022*

À l'est des rêves. Réponses even aux crises systémiques, *La Découverte, « Les empêcheurs de penser en rond », 2022*

croire aux fauves

nastassja martin

croire aux fauves

verticales

À tous les êtres de la métamorphose,
ici et là-bas.

« Car je fus, pendant un temps, garçon et fille, arbre et oiseau, et poisson perdu dans la mer. »

Empédocle, *De la nature*,
fragments, 117

Automne

L'ours est parti depuis plusieurs heures maintenant et moi j'attends, j'attends que la brume se dissipe. La steppe est rouge, les mains sont rouges, le visage tuméfié et déchiré ne se ressemble plus. Comme aux temps du mythe, c'est l'indistinction qui règne, je suis cette forme incertaine aux traits disparus sous les brèches ouvertes du visage, recouverte d'humeurs et de sang : c'est une naissance, puisque ce n'est manifestement pas une mort. Autour de moi, des touffes de poils bruns solidifiés par le sang séché jonchent le sol, rappellent le récent combat. Depuis huit heures, peut-être plus, j'espère que l'hélicoptère de l'armée russe va percer le brouillard pour venir me chercher. J'ai garrotté ma jambe avec la lanière de mon sac quand l'ours s'est enfui, Nikolaï a aidé à me bander le visage lorsqu'il m'a rejointe, il a vidé sur ma tête nos précieuses réserves de *spirt* qui ont coulé le long des joues avec les larmes et le sang. Depuis il m'a laissée seule, il a pris mon petit Alcatel de terrain pour appeler les secours du haut d'un promontoire en pensant, sûrement, au réseau incertain, au téléphone antique, aux antennes lointaines, que tout cela fonctionne, parce que les volcans nous encerclent, eux qui célébraient il y a quelques instants seulement notre liberté et qui scandent à présent notre enfermement.

J'ai froid. Je cherche mon sac de couchage à tâtons, je m'emmitoufle comme je peux. Mon esprit part vers l'ours, revient ici, tourne, construit des liens, analyse et décortique, fait des plans de survivant sur la comète. Dedans cela doit ressembler à une prolifération incontrôlable de synapses qui envoient et reçoivent des informations plus rapidement que jamais, le tempo est celui, éclatant, fulgurant, autonome et ingouvernable, du rêve, pourtant rien n'a jamais été plus réel ni plus actuel. Les sons que je perçois sont démultipliés, j'entends comme le fauve, je suis le fauve. Je me demande un instant si l'ours va revenir pour m'achever, ou pour que je l'achève, moi, ou bien pour que nous mourions tous les deux dans une ultime étreinte. Mais déjà je sais, je sens, que ça n'arrivera pas, qu'il est loin maintenant, qu'il trébuche dans la steppe d'altitude, que le sang perle sur son pelage. À mesure qu'il s'éloigne et que je rentre en moi-même nous nous ressaisissons de nous-mêmes. Lui sans moi, moi sans lui, arriver à survivre malgré ce qui a été perdu dans le corps de l'autre ; arriver à vivre avec ce qui y a été déposé.

Je l'entends bien avant qu'il n'arrive. Il est inaudible pour Nikolaï et Lanna qui m'ont rejointe tout à l'heure, il arrive je dis, mais non il n'y a rien ils répondent, juste nous dans l'immensité avec la brume qui monte et qui descend. Pourtant quelques minutes plus tard un monstre de métal orange rescapé de l'époque soviétique vient nous arracher au lieu.

*

À Klioutchy c'est la nuit, le fond concret de la nuit. *Klioutchy*. Le « village clé ». Le centre d'entraînement, la base secrète de l'armée russe dans la région Kamtchatka. Je ne suis pas censée savoir que c'est sur ce pauvre bout de terre qu'ils envoient des bombes chaque semaine depuis Moscou pour mesurer leur portée et atteindre les rives américaines du détroit en cas de guerre ; je ne suis pas non plus censée savoir que tous les indigènes du coin, Évènes, Koriaks, Itelmènes, pour ce qu'il reste d'eux, sont enrôlés ici, parce que sans rennes et sans forêts, l'absurdité devient la norme, et qu'ils en viennent à se battre pour leurs tortionnaires. Sauf que je le sais, depuis le début, je le sais parce que c'est mon métier de savoir ces choses-là. Les Évènes, dont je partage le quotidien forestier depuis plusieurs mois, m'ont raconté les bombes qui explosent près du dortoir, le soir. Ils ont ri à mes questions, ils m'ont scrutée du regard, ils m'ont souvent traitée d'espionne, gentiment, méchamment, ironiquement, ils m'ont fait tenir tous les rôles, mais ils m'ont toujours tout dit. Le village, l'alcool, les bagarres, la forêt qui s'éloigne et avec elle la langue maternelle qu'on oublie peu à peu, le travail qui manque, la patrie qui sauve ; et qui leur propose le camp de Klioutchy en échange.

Ironie du sort. Le dispensaire se trouve au village clé, c'est là que nous avons atterri, derrière les barbelés et les grillages, derrière les miradors, à l'intérieur de la gueule du loup. Moi qui riais intérieurement de savoir toutes ces choses interdites sur ce lieu secret me retrouve au cœur même du dispositif de soin pour les soldats et les blessés de la presque-guerre qui a cours ici.

C'est une vieille femme qui ferme mes plaies. Avec une infinie précaution, je la vois manier le fil et l'aiguille. J'ai passé le stade de la douleur, je ne sens plus rien mais je suis toujours consciente, je n'en perds pas une goutte, je suis lucide au-delà de mon humanité, détachée de mon corps tout en l'habitant encore. *Vsio boudet khorocho*, tout ira bien. Sa voix, ses mains, c'est tout. Je regarde mes longs cheveux blonds et rouges tomber à mes pieds par touffes à mesure qu'elle les coupe pour recoudre les plaies du crâne, qui par miracle n'a pas fendu, je lutte pour discerner une lumière, mais il y a peu à faire, le fond de la nuit est opaque, douloureux, infini, on n'en sort pas comme ça. C'est alors que je le vois. L'homme gras et transpirant qui vient d'entrer dans la pièce brandit son téléphone vers moi, il me prend en photo, il veut immortaliser l'instant. L'horreur a donc bien un visage, qui n'est pas le mien mais le sien. J'enrage. Je veux me jeter sur lui, ouvrir son ventre, me saisir de ses tripes et lui river son téléphone de malheur dans la main pour l'obliger à faire le plus beau selfie de sa vie en train de la quitter, mais je ne peux pas. Je ne peux que lui maugréer d'arrêter et me cacher maladroitement le visage, je suis rompue, brisée. La vieille femme comprend, le pousse à l'extérieur et ferme la porte, les gens elle dit, vous savez comme ils sont.

Le reste de la nuit se passe comme ça, avec elle, on recoud, on lave, on coupe, on recoud encore, je perds la notion du temps, il coule, nous flottons toutes les deux sur un océan sombre à l'odeur d'alcool, portées par une houle montante et descendante. Au milieu du jour suivant on vient me chercher, l'hélicoptère est là, on va me transférer à Petropavlovsk. Un simili-pompier russe débarque, grand, souriant, habits rouges, rassurant. Il me propose une chaise roulante, je refuse, me lève, m'appuie sur son épaule pour descendre les escaliers, blanc gris blanc gris, passer la porte, arriver sur le béton. Là, des gens agglutinés venus admirer le spectacle sont à l'affût avec leurs téléphones, de ma main libre je me cache encore le visage, évite les flashs, et soutenue par mon sauveteur je m'engouffre pour la seconde fois dans le ventre de l'hélicoptère.

*

Le voyage se passe dans une demi-conscience, je me souviens que j'ai froid, que j'ai du mal à respirer avec le sang qui me coule dans la gorge. À l'arrivée, les médecins me forcent à m'allonger sur un brancard, sur le dos. Je leur dis que je ne peux pas, que je n'arrive pas à respirer comme ça, mais ils s'entêtent, ils se mettent à plusieurs pour me tenir, on dirait que tout le service est là, j'étouffe. Ça crie, ça hurle, je sens une piqûre dans mon bras immobilisé, puis d'un coup tout s'arrête, les lumières valsent, je perds connaissance pour la première fois depuis l'ours, plus rien, plus rien du tout, le vide, le blanc, pas de rêve.

Lorsque je me réveille je suis entièrement nue, seule, attachée au lit. Des lanières m'enserrent les poignets et les chevilles. J'examine la situation. Je me trouve dans une vaste salle blanche et décrépie, des lits vides sont alignés auprès du mien, on dirait un de ces vieux dispensaires de l'époque soviétique, quelques voix résonnent au loin. Un tuyau me passe dans le nez, la gorge ; il me faut un long moment pour comprendre pourquoi je respire si bizarrement, et ce qu'est cette chose en plastique vert et blanc attachée au cou : trachéotomie. Dans mon semi-délire, je m'attends à tout moment à voir débarquer le docteur Jivago, le cadre y est. Mais c'est une infirmière blonde qui arrive, souriante. Nastinka, tu vas t'en sortir, elle dit. À sa suite, un homme de grande et large carrure apparaît, bottes qui claquent sur les carreaux du sol, chaîne en or, dents en or, montre en or. C'est le médecin-chef et ça se voit, c'est lui qui est aux manettes des opérations présentes et à venir, de ma camisole de force et de tout le reste. Se le mettre dans la poche, je me dis d'emblée.

Il est plutôt sympathique, avec son sourire jaune de roi d'hôpital. Il me complimente : personne ne sait comment c'est possible que tu sois vivante, mais tu l'es, alors bravo. *Molodiets.* Tu es une femme très forte, ajoute-t-il. Je lui réponds que je voudrais juste qu'on m'enlève les attaches. Ça non, ce n'est pas possible, tu restes comme ça, c'est pour te protéger de toi-même. Ah bon. Les deux jours qui suivent sont un calvaire. Le tuyau qui traverse ma gorge me fait horriblement mal, et l'infirmière souriante du début a disparu, c'est une autre, très jeune, trop jeune, qui s'occupe de moi. L'infirmière-chef la surveille vaguement, il faut bien apprendre… la novice devient mon pire cauchemar. C'est une obsession, je ne pense plus qu'à ça : comment dénouer les liens qui m'entravent. J'invente des méthodes invraisemblables dès que mes gardiennes disparaissent derrière la porte. Par deux fois je parviens à me détacher, j'arrache le tuyau qui transfère dans mon estomac une bouillie marron et noir, cette couleur, je m'en souviens. Il faut nourrir, j'entends crier dans les couloirs en fin de journée. Tu as nourri ? demande l'infirmière-chef à l'apprentie. « Nourri », c'est le mot. *Kormit.* Je revois mon vieil ami Ilo, à Manach', qui du fond de la yourte appelle son neveu Nikita : Tu as nourri les chiens ? Va nourrir les chiens ! *Idi kormit !* Depuis, je ne peux plus entendre prononcer ce mot sans qu'un spasme me remonte du fond du ventre. Je me rappelle très nettement ces yeux noirs et vicieux de jeune fille tout juste sortie de l'enfance, me regardant méchamment ; je la revois injecter d'un coup sec la nourriture dans le tuyau, elle veut me punir et elle se venge, de mon existence à moi, de sa vie misérable à elle, que sais-je, de tout ce qui ne lui obéit pas et de tout ce qui lui résiste, elle me montre que pour une fois, elle a le pouvoir.

En atteignant brutalement mon estomac la bouillie me fait hurler de douleur. Les larmes coulent le long de mes joues, je n'ai jamais été aussi impuissante, à la merci des hommes, des femmes et même des gamines, dénudée, attachée, gavée, je suis à la frontière de l'humanité, à la lisière je crois de ce qu'on peut supporter. L'infirmière-chef, alertée par mes cris, entre dans la salle, s'approche et rabroue sa cadette qui me lance un regard assassin. Je me dis qu'elles me font payer cher ma survie de femme face à l'ours. Tu as mal ? s'enquiert l'infirmière. Oui ! j'affirme avec toute la conviction dont je suis capable dans l'espoir qu'elle me donne quelque chose, n'importe quoi, une drogue qui atténue un peu mes souffrances. Alors tiens bon, *potierpi*, dit-elle en s'en retournant à ses affaires. *Potierpi* non plus je ne peux plus l'entendre.

C'est là, après l'épisode de la bouillie, que je décide de baisser les armes ; ou que je rends les armes, parce que je n'ai pas le choix. Je m'applique à être sage comme une image, à ne pas protester, à ne rien demander et à ne rien attendre, à supporter la douleur, le tuyau et le reste, jusqu'à ce que ça passe, ou plutôt jusqu'à ce que quelque chose se passe. Si ce n'était cette musique qui résonne dans la pièce, faisant toutes les trois secondes entendre un roulement suivi d'un coup sec, en fond de mauvaise symphonie, je pourrais me concentrer plus aisément sur les circonstances de ma pacification. En m'informant sur la nature de cette symphonie répétitive, j'apprends qu'une étude scientifique très ancienne mais très sérieuse a montré que ce requiem, passé en boucle, aidait les patients à ne pas oublier de respirer : rrrrrrrrrrouuuuuulllllllllllllll Klang ! rrrrrrrrrrrrouuuulllllllllllllllll Klang ! Et on respire. Décidément. Au cœur du système de soins russes je suis. Spécificité du Grand Est encore englué dans de vieilles méthodes ? À l'hôpital de Moscou, je doute que les patients du service de réanimation écoutent le même air que moi. En même temps, ils ne se trouvent pas non plus dans ce dispensaire aux allures de goulag. Je me dis qu'on ne me croira pas quand je le raconterai, si je sors, si je m'en sors. Je me dis : je l'écrirai quand je pourrai.

Heureusement mes nuits sont plus divertissantes, mais non moins surréalistes. Annia succède à Inna, Yulia prend sa suite. Chaque soir c'est la même chose. L'infirmière qui me surveille est assise à une petite table d'écolier, au fond de la salle. Dans la pénombre, une minuscule veilleuse éclairant son ouvrage, elle confectionne des compresses. Elle découpe, elle plie, découpe et plie encore. Rien n'est donné ici. Tout se fait de main de femme. Chaque nuit à peu près à la même heure, le nom de l'infirmière de garde résonne depuis l'autre pièce, c'est une voix masculine qui appelle. Annia ! Elle se lève nonchalamment, jette un coup d'œil vers mon lit, puis passe de l'autre côté. Je n'ai pas à tendre longtemps l'oreille pour comprendre ce qui se trame. Des gémissements à peine étouffés me parviennent, des grognements masculins, le médecin-chef anime ses gardes. Chaque nuit c'est le même manège, juste le prénom qui change ; Yulia ! Inna ! Ceci explique cela. La première fois que j'ai vu le médecin-chef embrasser l'une de mes infirmières sur la bouche en pleine journée (quoique dans cette partie du service de réanimation il n'y ait manifestement que moi comme témoin oculaire), j'ai naïvement cru que c'était sa compagne, un médecin et une infirmière, après tout, pourquoi pas. En réalisant que chaque infirmière embrassait le médecin-chef sur la bouche systématiquement, j'ai ensuite pensé qu'il s'agissait d'une coutume locale : les Évènes s'embrassent bien sur la bouche pour se saluer lorsqu'ils appartiennent à une même famille. Avec les grognements répétés de nuit en nuit, mes élucubrations ont vacillé. C'est une autre forme de coutume inconnue dont il devait s'agir. Que d'animation ! C'est avec ces considérations sexuelles que ma vie d'humaine a repris le dessus, que je suis sortie de l'entre-deux-mondes, quelle étrangeté, que de se ressaisir de soi-même en entendant les autres faire l'amour chaque nuit. Ce fut le début d'une atténuation des souffrances.

Satisfaites de ma docilité de ces derniers jours, les infirmières me détachent enfin. Tu n'enlèveras pas le tuyau ? Non je n'enlèverai rien, je toucherai juste mon corps nu pour me rappeler ses formes. Je remporte ce jour-là une autre victoire : l'infirmière accepte d'éteindre la symphonie respiratoire. C'est une libération.

Ravis de ma bonne conduite, d'autres médecins (masculins), accompagnés du médecin-chef toujours, qui veille sur sa rescapée comme l'huile sur le feu, viennent me rendre visite. On discute, moi allongée sur le lit, tirant mon maigre drap au plus haut pour cacher ma poitrine ; eux à mon chevet ou au pied du lit. Manifestement, je vais mieux. Bien entendu, ils refusent encore de me rendre mes effets, mon téléphone surtout, c'est interdit dans ce service affirment-ils. Je leur explique que je m'ennuie sec. Vous n'auriez pas quelque chose à me donner pour m'occuper, n'importe quoi, un bouquin ? L'un des médecins réfléchit, puis revient avec un livre de blagues sur la médecine, les patients, le corps soignant russe. La couverture est noire, le texte est écrit assez gros, j'ai oublié le titre. Désolé, je n'ai que ça ici… il a l'air embêté. Ce n'est pas grave c'est même parfait, je prends je dis.

Ils n'en reviennent pas. Nastinka lit, cinq jours après s'être réveillée, cinq jours après son corps à corps avec l'ours, elle lit. Et des blagues, en plus ! Ils doivent se passer le mot car c'est un véritable défilé qui commence dans la salle. Ils viennent me voir penchée sur le livre, me demandent s'il est drôle, très, je leur réponds chaque fois. Ils passent me dire bonjour, me féliciter. Le lendemain en fin de journée le médecin-chef arrive, il pousse une petite télévision sur roulettes. Voilà il dit. Comme ça tu pourras regarder des choses plus intéressantes !

L'infirmière la dispose en pied de lit, l'allume au hasard et me laisse seule face au petit écran. Hallucinée, je fixe les images qui défilent sans qu'elles impriment leur marque en moi d'abord, c'est tellement aberrant, je ne peux me résoudre à voir ce que je vois. Le film qui me tombe dessus dans le service de réanimation délabré de Petropavlovsk parle de Nastinka (c'est ainsi qu'elle s'appelle dans l'histoire), elle cherche son amoureux dans la forêt et ne le trouve pas, elle appelle, elle appelle, mais comment peut-elle savoir que celui qu'elle cherche, victime de quelque malédiction, s'est transformé en ours, elle ne le reconnaît pas quand elle le rencontre finalement. Il meurt de tristesse de ne pouvoir se rendre visible à elle, visible de l'intérieur.

J'entre dans un état de stupeur face à ce Petit Chaperon rouge portant mon nom, poursuivie par cet ours amoureux qui ne peut plus lui dire ; qui poursuit elle aussi cet ours sans le savoir, sans savoir que celui qu'elle aime a déjà changé de peau. Ils sont condamnés à vivre dans des mondes différents, ils ne se comprennent plus. Leurs âmes, ou ce qu'il y a à l'intérieur d'eux, sont désormais enfermées dans une peau *alter* qui ne répond plus aux mêmes expressions d'existence. Je pense à mon histoire. À mon nom évène, *matukha*[1]. Au baiser de l'ours sur mon visage, à ses dents qui se ferment sur ma face, à ma mâchoire qui craque, à mon crâne qui craque, au noir qu'il fait dans sa bouche, à sa chaleur moite et à son haleine chargée, à l'emprise de ses dents qui se relâchent, à mon ours qui brusquement inexplicablement change d'avis, ses dents ne seront pas les instruments de ma mort, il ne m'avalera pas.

1. Le mot féminin évène *matukha* signifie « ourse ». Prononcer le *kh* comme la *jota* espagnole.

Une larme coule sur ma joue, mes yeux lavés continuent de fixer l'écran qui ne fait plus à présent que refléter ma propre vie. Je suis face au miroir. Il n'y a plus d'absurdité, plus de bizarrerie, plus de coïncidences fortuites. Il n'y a que des résonances.

Sur ces entrefaites l'infirmière arrive, jette un œil à mon lit, voit des larmes dans mon regard absent, jette un œil à l'écran. Elle serre les coins de sa bouche, gênée. Ça tombe mal elle dit. Un silence. On éteint ? On éteint.

*

Parce que l'ours est parti avec un bout de ma mâchoire qu'il a gardée dans la sienne, et qu'il m'a cassé le zygomatique droit, il va falloir opérer à nouveau, bientôt. Ils ont fixé une plaque dans l'os pour tenir la branche mandibulaire inférieure droite quand je suis arrivée ; il faut maintenant remonter la pommette. Pourquoi ne pas l'avoir fait avant, c'est un mystère, mais le médecin-chef m'assure ce matin que je pourrais ensuite sortir du service de réanimation, respirer normalement, je pourrais même « manger toute seule », ajoute-il le sourire aux lèvres.

Cela fait plusieurs jours que je demande qu'on me rende mes effets, mon téléphone surtout, pour pouvoir appeler ma famille, sans succès. Pourtant ce jour-là, l'assistant du médecin-chef fait son entrée en trombe et s'avance vers mon lit. Tu connais un certain Charles? L'espoir renaît d'un coup, mes mots s'emballent alors que je tente de lui expliquer. Charles, mon compagnon de recherche, mon ami, mon camarade au laboratoire d'anthropologie sociale, Charles avec qui je suis venue ici au Kamtchatka pour la première fois, Charles qui doit avoir si peur, si peur pour moi à l'heure où nous parlons. Dites-lui que je vais bien dites-lui que je ne suis pas morte dites-lui… Il me coupe. La prochaine fois qu'il appelle on lui dira.

Le lendemain l'assistant revient, flegmatique. On a parlé à Charles. Il dit que ta mère et ton frère arrivent. Des larmes de joie ruissellent sur mon visage gonflé, cousu, mon visage qui doit rayonner comme un soleil rouge de fin de journée, je les ai tellement attendus, je les ai tellement appelés avec les mots silencieux du cœur qui traversent les terres les océans. Ma pauvre maman. Qui s'est tant inquiétée pour sa fille toujours partie Dieu sait où ces quinze dernières années, en Alaska, au Kamtchatka, sur les montagnes, dans les forêts ou sous les mers, souvent fourrée dans une situation périlleuse et incertaine; ma petite mère, je lui concède pour une fois toutes ses inquiétudes de maman, elle n'avait peut-être pas tort. Depuis mon lit dans ma pièce délabrée, je me mets à sa place et c'est encore pire, insoutenable presque, je dois cesser de m'enfoncer dans son cœur de maman pour survivre sinon je chavire. Je me rappelle clairement l'une de ses phrases juste avant que je reparte sur le terrain cette année, une phrase lancée sans un sourire, avec l'autorité de la mère qui sait que sa fille est en train de se déliter, d'être aspirée par cet autre monde dont elle ne connaît rien mais dont elle pressent la puissance, l'influence, la fascination ; dont sa fille se défend évidemment, « je suis anthropologue » ne cesse-t-elle de répéter, je ne suis pas fascinée, je ne me perds pas dans mon terrain, je reste moi, toutes ces choses dont on se persuade parce que sinon on ne partirait jamais. Ma mère donc, qui m'avait dit, il y a de cela plusieurs mois : Si tu ne reviens pas cette fois, c'est moi qui irai te chercher. De la savoir quelque part entre la France, la Sibérie et le Kamtchatka, mon cœur explose de joie et de tristesse en même temps. Je pense à Niels avec maman. Mon frère aîné qui fait le protecteur, mon frère qui a toujours été plus fragile que moi derrière sa grande stature, mon colosse aux pieds d'argile, titan d'émotions et de sensibilité qui s'ignore, heureusement que maman est là pour lui je me dis. Elle sera toujours la plus forte d'entre nous trois. Ma mère a vécu d'autres guerres, et même si personne n'en est encore sûr, celle-ci débouche sur une naissance, pas sur une mort.

Ce soir-là, le dernier dans le service de réanimation, des cris inattendus animent ma nuit. Ils ont récupéré dans les rues quelqu'un de très saoul, au-delà de ce qu'on imagine. Ou peut-être qu'il est venu se présenter de lui-même, qui sait. Toujours est-il qu'il occupe la pièce d'à côté. Je l'entends, je l'écoute, c'est une incroyable litanie qui débute et ne s'interrompra qu'au petit jour. L'infirmière de garde a échangé les mains grasses du médecin-chef contre d'autres injures ; ça hurle dans les couloirs, ça s'insulte. Une porte claque, l'homme d'à côté se retrouve enfermé ; et il commence à chanter. Un long chant mélancolique, qui raconte les temps d'avant, le kolkhoze, l'armée Rouge, les vaches, le lait, les rennes, les livres et le cinéma, les peaux et le comptoir, la vodka. J'aimerais voir son visage, voir la peine qui fait tressaillir sa voix entrecoupée de sanglots. Quel monde pleure-t-il ? Quel âge a-t-il pour pleurer ces temps révolus ? Je l'imagine, bouteille à la main quelques heures plus tôt, titubant dans les ornières boueuses de l'une des routes défoncées de la ville, sous les lumières blafardes de l'un de ces supermarchés sortis de terre il n'y a pas cinq ans, ayant poussé là au milieu des immeubles d'époque soviétique fissurés de part en part, témoignant d'un monde qui a changé trop fort trop vite et qui s'effrite déjà avant même d'avoir atteint sa maturité prédatrice.

J'écoute mon voisin de chambre délirer et je suis transportée à Tvaïan sous la yourte. Je revois le vieux Vassia au petit matin, assis sur une peau de renne, les yeux mi-clos ; probablement retenu dans cet entre-deux qui précède le réveil, là où les rêves gardent encore toute leur emprise sur nos corps. *Kolkhoz director, krasnaïa armïa, sovkhoz director*, en boucle. Directeur du kolkhoze, armée Rouge, directeur du sovkhoze, répète-t-il inlassablement en se balançant doucement dans la lumière de l'aube qui perce par le toit. Je me rappelle avoir été frappée par la profondeur du choc, de la collision, entre l'hémicycle de la yourte, les flammes du feu qui racontent les choses de l'invisible, que lui Vassia sait traduire le soir en quelques mots prononcés tout doucement, et la modernité soviétique, qui s'est infiltrée jusque dans les rêves des humains les plus éloignés, les plus différents, les moins préparés. Une histoire tourne dans les abysses de Vassia. Quelle bribe de souvenir, quel détail de rencontre, quel fragment d'événement ? Je ne sais pas si mon colocataire du service de réanimation est évène, itelmène, koriak ou russe ; je sais en revanche qu'il ressasse la même pesanteur passée que mon vieil ami de Tvaïan.

*

La dernière opération approche. Toute une foule se presse autour de mon lit. L'ambiance est joyeuse. Ils sont au moins dix, médecins et infirmières, ils viennent officier ou juste observer, ils me parlent, ils sont guillerets, tu sais que tu sors tout à l'heure et que tu vas dans l'hôpital normal ? lance l'un d'entre eux alors qu'il prépare l'anesthésie. Le médecin-chef, col ouvert, torse poilu toutes chaînes en or dehors, fait son entrée. Ça va bien se passer, dit-il en se remontant les manches. Sourire jaune brillant, clin d'œil. Puis, pour la deuxième fois depuis l'ours, les lumières valsent.

Lorsque je me réveille, je crois un instant que je rêve encore sous sédation, tant la scène est cocasse. Tous les lits autour du mien ont été poussés, un air de rock'n'roll russe résonne dans la pièce. Il n'y a plus personne, sauf cette infirmière qui passe la serpillière en dansant et en chantant à tue-tête. Je me mets à rire. Nastia, tu es réveillée ! me hurle-t-elle. Ça y est tu sors c'est aujourd'hui tu vas sortir allez réveille-toi mieux que ça bientôt on va venir te chercher !

Plus tard le médecin-chef revient. C'est bon il dit, j'ai fait le nécessaire, tu vas même pouvoir manger. Plus de tuyau, c'est vrai. Plus de trachéo non plus, juste un scotch sur le trou dans ma gorge. Je n'en reviens pas, je suis heureuse, comme jamais auparavant. Il y a quelqu'un qui t'attend à l'extérieur il me dit encore. Quelqu'un mais qui ? Déjà ma famille ? C'est trop tôt pourtant... Non reprend-il. Quelqu'un de... et il fait ce geste circulaire avec sa main en désignant son visage avec une grimace. Quelqu'un de bronzé ? Je traduis. De sombre ? Oui, de sombre. Il est là, il attend à la sortie il veut te voir.

Les brancardiers arrivent, nous roulons hors de ma cellule, je vois pour la première fois l'enfilade des couloirs, le mobilier, les autres pièces, ces lieux que j'ai imaginés toutes ces nuits durant. Pas de trace du chanteur d'hier, dommage je pense, je jette un œil dans la chambre d'où montaient ses chants en passant mais elle est vide, les draps sont défaits et roulés en boule au pied d'un matelas jeté par terre. La porte est là toute proche, la lumière inonde mon brancard, le premier visage qui m'accueille au jour est celui d'Andreï. Je voudrais le serrer dans mes bras pleurer lui raconter toute l'histoire mais déjà les infirmiers m'emportent loin de ces yeux, de ce regard enfin bienveillant, le regard d'un ami.

Je t'attends dans ta chambre, il me crie au passage.

*

Andreï doit se sentir coupable, un peu. Pourtant ce serait trop simple si tout était réellement sa faute, comme le prétendrait Daria quelques jours plus tard. Mais l'absoudre totalement en le jugeant étranger aux circonstances de ce combat ne serait pas juste non plus. Je me revois sous la yourte à Milkovo, peu de temps après mon arrivée cet été-là, il y a quatre ans ; la fièvre qui me tient clouée sur la couche de peaux, Andreï et ses tisanes. Le lieu entre en toi, tu seras plus forte après il avait dit. J'avais passé deux semaines, peut-être trois, dans le huis clos de la yourte avec lui, à parler des esprits des animaux, de ceux qui nous choisissent avant même qu'on les rencontre. J'avais guéri et j'étais vite repartie, lui voulait me garder pour m'apprendre, encore, mais je ne pensais qu'à la forêt, la vraie, pas celle des histoires. J'aimais beaucoup Andreï mais je détestais le village. Je préférais aller chez Daria et je ne lui laissais pas le choix, je partais chez les Évènes qui avaient choisi une autre vie, loin des villages, loin du tourisme, loin de l'État. Andreï était coincé ici, et même s'il était tout aussi indigène que Daria et sa famille, son atelier de sculpture était devenu pour moi, au fil du temps, plus qu'un sujet de recherche, un sas de décompression entre mon monde et le leur, à l'aller comme au retour.

Mais cette fois c'est différent. Je ne rentre pas chez moi, je fuis les bois, je pars en montagne. Quelque chose cloche, quelque chose d'essentiel. Lui le sait, le sent. Je le revois me donner la griffe au moment de partir. Tu sais que tu es déjà *matukha*, je ne t'apprends rien. Prends-la avec toi quand tu marcheras là-haut. Je l'entends me rappeler nos discussions pendant mes délires fiévreux, et me mettre en garde contre l'esprit de l'ours, qui me suit, qui m'attend, qui me connaît. Pourtant il ne me retient pas. Il ne fait pas un geste pour m'empêcher de monter aux volcans. Et c'est bien ce que Daria lui reproche. Qu'il sache, pour moi, pour l'ours, et qu'il ne fasse rien. Qu'il n'ait jamais rien fait, rien dit ; ou plutôt : qu'il ait tout dit à un fauve qui par défi courait de toute manière vers sa perte, au-devant de son initiation, et qu'il faudrait l'intervention d'un miracle pour qu'elle y survive. Non, rien n'est sa faute. Ce qu'il a fait : il a guidé mes pas pour que j'aille au-devant de mon rêve.

Daria, elle aussi, a toujours su. Elle sait qui me visite quand je dors ; je lui raconte au petit matin les ours de ma nuit, familiers, hostiles, drôles, pernicieux, affectueux, inquiétants. Elle écoute en silence. Elle rit de me voir accroupie dans les buissons de baies avec mes cheveux blonds qui dépassent des feuillages, tu as comme une fourrure elle me dit chaque fois. Elle compare mon corps musclé à celui de l'ourse ; elle se demande qui de l'une ou de l'autre dort dans le terrier de son double. Mais Daria a quelque chose qu'Andreï n'a pas, qu'Andreï n'aura jamais : c'est une mère. Une femme qui connaît la douleur dans ses chairs, la vie et la mort, et qui plus que tout au monde aspire à protéger ceux qu'elle aime et à leur épargner la souffrance. Daria elle aussi sait voir entre les mondes. Pourtant elle n'arracherait jamais un enfant à son lieu familial, elle ne l'emmènerait pas dans la forêt, ne tracerait pas un cercle autour de lui en lui disant toi tu restes là, ne le confierait pas au monde extérieur pendant une lunaison pour qu'il tisse sous sa peau les relations qui feront de lui un homme plus tard. Ça, c'est le rôle du père. De jeter l'enfant au monde une deuxième fois. Moi je n'ai plus de père depuis l'adolescence. Andreï s'est quelque part saisi de cette place laissée vacante, a endossé le rôle de celui qui initie en poussant l'enfant hors de la douceur et de l'évidence intra-utérine. C'est pour cette raison précise que Daria le détestera à jamais.

Dans la chambre de l'hôpital, Andreï se tient à côté de la plante verte près de la fenêtre, assis sur le petit lit qui fait face à celui sur lequel les infirmiers m'aident à m'asseoir. Nous nous regardons en silence, la porte se ferme, nous sommes seuls. Il dit : Nastia, tu as pardonné à l'ours ? Silence à nouveau. Il faut pardonner à l'ours. Je ne réponds pas tout de suite, je sais que je n'ai pas le choix, et pourtant pour une fois je voudrais m'insurger, contre le destin, contre les liens, contre tout ce vers quoi on va et qui est inéluctable, je voudrais lui crier que j'aurais voulu le tuer, l'expulser hors de mon système, que je lui en veux tellement de m'avoir défigurée ainsi. Mais je ne le fais pas, je ne dis rien. Je respire. Oui. J'ai pardonné à l'ours.

Andreï baisse la tête et regarde le sol, ses longs cheveux noirs s'amassent sur le côté gauche de son visage, il attend un moment comme ça, deux larmes tombent sur le carrelage. Il relève les yeux, noirs, mouillés, brillants, perçants. Il n'a pas voulu te tuer, il a voulu te marquer. Maintenant tu es *miedka*[1], celle qui vit entre les mondes.

1. Le mot évène *miedka* est employé pour désigner les personnes « marquées par l'ours », qui ont survécu à la rencontre. Ce terme renvoie à l'idée que la personne qui porte ce nom est désormais moitié humaine, moitié ours.

*

De l'agitation se fait entendre dans le couloir. Andreï se redresse, entrouvre la porte, jette un regard, se retourne vers moi. Ils sont là, lève-toi. Je titube jusqu'à l'entrée, je m'appuie sur l'épaule d'Andreï, ils entrent. Elle d'abord. Ses cheveux blonds en bataille qui masquent mal ses yeux gonflés et rougis par une semaine de larmes, de tristesse, de peur. Lui derrière. Ses lèvres qui tremblent, sa mâchoire serrée par l'anxiété et l'attente. Ma mère me serre dans ses bras de toutes les forces qui lui restent, mon frère nous entoure toutes les deux et cache nos visages trempés de la face du monde. Nous pleurons ensemble et c'est tellement vrai, enfin. Je ne me ressemble plus, ma tête est un ballon griffé de cicatrices rouges et enflées, de points de suture. Je ne me ressemble plus et pourtant je n'ai jamais été aussi proche de ma complexion animique ; elle s'est imprimée sur mon corps, sa texture reflète à la fois un passage et un retour.

Plus tard, cette chambre d'hôpital et sa plante verte se transforment en laboratoire, s'y rencontrent des gens si différents qu'on a peine à les imaginer côte à côte, devant celle qui a fait face à l'ours. Daria et son fils Ivan sont sortis de leur forêt, Yulia sa fille a laissé son mari derrière elle au camp militaire de Vielouchinski pour les rejoindre à Petropavlovsk. Une étrange famille se crée, ma mère, mon frère et eux, pour la première fois dans le même espace-temps, tous projetés dans une zone incertaine, liminaire. Je deviens un trait d'union improbable, entre eux comme êtres humains, et avec le monde des ours là-haut dans la toundra d'altitude.

*

Plus tard encore, je suis seule avec Daria et Ivan. Comment avez-vous su pour l'ours ? je demande. Dans la forêt de Tvaïan, il n'y a pas de téléphone. À cent kilomètres à la ronde, pas d'antenne relais, rien. Et cela fait plusieurs mois déjà que la radio qui les maintenait en communication avec les autres camps de chasse de la région ne fonctionne plus. Daria essuie la sueur qui perle sur son front avec un mouchoir, pose son menton dans ses mains jointes, baisse la voix, commence à raconter. Ce jour particulier, ce jour où moi je courais au-devant de mon ours, ce jour où eux étaient loin des volcans dans leur forêt.

Ils sont à Cruxkatchan avec les enfants, en aval de la rivière Icha, quelques kilomètres au sud de Tvaïan. Ils pêchent. À la fin de l'été, les saumons y sont toujours plus nombreux qu'au camp de chasse principal. Il n'y a ici qu'une cabane rudimentaire où tous dorment côte à côte, par terre sur des peaux, mais juste en contrebas de l'habitation la rivière s'élargit et se calme, c'est un excellent emplacement pour poser le filet. Alors qu'ils boivent le thé en milieu d'après-midi, Ivan tombe à la renverse et perd connaissance. Sa mère lui colle une gifle pleine d'inquiétude, il rouvre les yeux. Il se lève au bout de quelques minutes. Il est arrivé quelque chose à Nastia il dit. Il sort de la cabane, descend à la rivière, allume le moteur du bateau, part au camp de Manach' cent kilomètres au nord pour monter dans l'arbre-cabine d'où nous passons tous nos appels quand nous sommes en forêt. Assis dans les branches à trois mètres du sol le téléphone pointé vers le ciel, il reçoit le message que j'avais demandé à Nikolaï d'écrire pour moi, alors que j'étais encore à Klioutchy, au village clé. En sortant du dispensaire et avant de prendre l'hélicoptère, je lui avais donné mon téléphone russe en lui intimant d'appeler Ivan et Charles, les deux hommes gardiens de mes deux maisons alors, là-bas en France et ici au Kamtchatka. Je sais que je vais leur faire vivre une horreur, mais la culpabilité ne prend pas. Je sais, sans toutefois comprendre pourquoi au moment de la collision, que cet ours qui est d'abord le mien nous concerne, aussi, tous les trois. Eux, et moi.

*

De Charles, je me rappelle cette journée de fin de deuil évène, au sortir de la forêt. Après trois jours de nomadisation entre les camps de chasse, après avoir enterré la mère de Daria à Drakoon, après les pleurs l'intensité le vide et la stupeur, nous arrivons à Sanouch' au poste-frontière, c'est la fin de notre tout premier terrain dans la région d'Icha. Charles et moi partons nous laver à la rivière plus bas, nous empruntons un étroit sentier descendant, les branches nous griffent le visage et les bras. Nous entamons nos ablutions dès que nous arrivons à l'eau. Quelques instants plus tard un grognement sourd se fait entendre. Nous levons tous les deux la tête, le gros chien blanc nommé Shaman qui nous accompagne bondit vers l'aval. Charles me regarde et me dit n'y va pas. Je me lève, sa voix est si lointaine, comme étouffée. Les sens en alerte je m'élance à la poursuite de Shaman le chien, le sang bat dans mes tempes comme il doit battre dans les siennes. Je le retrouve trente mètres plus bas campé en bordure des arbres sur la berge au-dessus de l'eau, il aboie. Je m'avance à tâtons derrière lui, je rampe presque alors, jusqu'à me trouver enfin à ses côtés. Là, à quelques mètres de nous, une ourse gigantesque se tient, une patte sur un arbre et l'autre pendante, elle souffle dans notre direction. Deux oursons batifolent derrière elle. Mon cœur explose dans ma poitrine, je me redresse un peu et la regarde. Elle lâche l'arbre, se dresse et nous fixe tous les deux puis émet un long grognement sans appel. Je regarde le chien, le chien me regarde. Je recule doucement en descendant, je suis hors de vue, je me retourne, je cours à toutes jambes vers le trou d'eau où j'ai laissé Charles, vite le retrouver, ne pas le laisser seul là-bas, c'est la seule chose qui me vient alors à l'esprit. Tu l'as vu, il me dit quand je le rejoins. Oui, je réponds haletante. Tu es folle, il me dit encore. Je sais, avec un sourire.

Plus tard cette nuit, les lignes courent sur la page, j'écris et c'est un flot une évidence, j'écris parce que je suis profondément affectée. Je dois dire que j'ai deux carnets de terrain. L'un est diurne. Il est empli de notes éparses, de descriptions minutieuses, de retranscriptions de dialogues ou de discours, opaques le plus souvent, jusqu'à ce que je rentre chez moi et que j'y mette de l'ordre ; jusqu'à ce que j'ordonne cet amas de données détaillées pour en faire quelque chose de stable, d'intelligible, de partageable. L'autre est nocturne. Son contenu est partiel, fragmentaire, instable. Je l'appelle le cahier noir, parce que je ne sais pas bien définir ce qu'il y a dedans. Le carnet diurne et le cahier nocturne sont l'expression de la dualité qui me ronge ; d'une idée de l'objectif et du subjectif que je sauve malgré moi. Ils sont respectivement l'intime et le dehors ; l'écriture automatique, immédiate, pulsionnelle, sauvage, qui n'a vocation à rien d'autre que de révéler ce qui me traverse, un état de corps et d'esprit à un moment donné, et celle, paradoxalement moins léchée mais plus contrôlée, qui sera par la suite travaillée pour devenir réflexive, et qui finira dans les pages d'un livre. Évidemment après l'ours cette nuit-là, c'est du cahier noir que je me suis saisie.

8 juillet 2014

Et encore ces regards qui transpercent, qui peuplent les souvenirs d'images fugaces, vibrantes. Constellation de détails qui fourmillent dans le corps ; flashs de couleurs qui lui rappellent le déjà-perdu des êtres en coprésence. Fantomatique du désir propre aux forêts, aux prédateurs solitaires, à leur rage à leur fierté et à leur veille. Tension de leurs rencontres inattendues, inavouables, improbables, en devenir, pourtant. Puisque seuls ils se perdent, puisque seuls ils s'enferment, puisque seuls ils oublient. Le croisement de leurs regards les sauve d'eux-mêmes en les projetant dans l'altérité de celui qui fait face. Le croisement de leurs regards les maintient en vie.

Cette nuit-là en fermant le cahier noir j'éteins ma frontale et je reste allongée dans l'obscurité les yeux ouverts, j'écoute le son des respirations autour. Que se passe-t-il ? Je me souviens du trouble. Je suis en train de devenir quelque chose que j'ignore ; *ça* parle à travers moi.

D'Ivan, je me rappelle d'abord notre première rencontre. Il pleut des cordes, Charles et moi venons d'arriver à Manach' sur l'Icha, nous sommes en juin 2014. Cela fait trois jours que nous attendons dans la yourte que le temps se calme pour pouvoir sortir. Je m'ennuie très sévèrement. Je griffonne sur mes carnets, ne trouve rien d'intelligent à dire, je suis vide de mots et encore plus vide de sens ; de toute manière, il ne se passe rien de notable. L'après-midi touche à sa fin. Ilo remue mollement l'*apana*[1] des chiens qui mijote sur les braises ; la fumée qui s'échappe de la théière monte doucement vers l'ouverture sommitale. L'eau tambourine sur les bâches, c'est assourdissant, abrutissant. Je revois très distinctement le pan de yourte qui se rabat sur le côté gauche du toit d'un mouvement brusque, et cet homme en ciré orange trempé qui entre. *Zdorovo* lance-t-il, le sourire aux lèvres. Il balaie du regard les occupants de la yourte, avise les deux étrangers, plante ses yeux dans les miens. Quelque chose fond sur moi, je me dis en soutenant son regard.

*

1. L'*apana* est le repas que les Évènes préparent pour leurs chiens. On y met tout ce qui n'est pas consommé par les humains, têtes de poisson, arêtes, viscères, restes des plats, pommes de terre, etc. L'*apana* cuit sur le feu toute la journée.

Charles n'est pas avec nous à Petropavlovsk et pourtant il est très présent. Il s'occupe des appels administratifs, il traduit les papiers relatifs aux opérations que j'ai déjà subies ici, en Russie, pour le futur transfert dans un hôpital français. Il passe des nuits sans sommeil, je connais sa peine dans mon cœur. Il m'appelle sur mon téléphone russe que j'ai fini par récupérer, il pleure dans le combiné, me répète que je ne dois pas mourir, que je ne peux pas mourir. Je ne suis pas morte je suis née, je lui dis à lui aussi, comme à ma mère, comme à mon frère, qui me répondent tous oui oui, en espérant que bientôt je retrouverai la raison et oublierai ces histoires d'âmes mélangées et de rêves animiques. C'est difficile à expliquer, c'est vrai. Parce que c'est encore embrouillé dans ma tête, j'ai du mal à mettre les mots justes sur ce qui s'est passé, sur ce qui se passe. Je ne m'en rends pas compte alors, mais leur incompréhension n'est qu'un petit avant-goût de ce qui m'attend en France.

Daria me laisse seule avec Ivan. Il me serre dans ses bras, pleure doucement sur mon épaule, ses larmes glissent dans mon cou. Pourquoi ne m'as-tu pas écouté quand je t'ai demandé de ne pas partir ? Pourquoi es-tu partie là-haut alors que tu pouvais rester avec nous à Tvaïan ? Même réponse, intraduisible dans aucune langue. Je devais aller au-devant de mon rêve. Même frustration.

Une infirmière entre dans la chambre. Nastia, quelqu'un veut te voir. C'est un agent du FSB qui l'accompagne, uniforme, képi, pistolet à la ceinture. Il va falloir réunir vos forces pour un entretien, mademoiselle, dit-il en fermant la porte. Ivan est toujours là, il recule jusqu'à se fondre dans l'angle de la petite salle de bains au fond de la pièce. Il s'accroupit. Il disparaît dans l'ombre. Je le regarde et pense à ce jour où nous nous sommes dit au revoir dans la toundra de Sanouch'. Moi je ne vais pas plus loin, il avait dit, alors que Liouba, le petit Nikita et moi continuions notre chemin à pied après deux jours de bateau pour rejoindre la route qui nous ramènerait, trois cents kilomètres plus tard, au village de Milkovo. Comme aujourd'hui dans ce recoin sombre entre le lavabo et la douche, il s'était accroupi dans les fougères à l'orée du bois, avait sorti une cigarette, et nous avait regardés marcher dans la toundra dénudée vers cet autre monde qui n'était pas le sien. Longtemps, nous avons vu sa silhouette immobile aux aguets, puis le petit point vert qu'il était devenu s'est levé et a disparu entre les arbres qui longeaient la rivière.

L'agent du FSB prend place, comme tous les autres avant lui, sur le petit lit en face du mien, et l'interrogatoire commence. Il est là pour comprendre deux choses : premièrement, que faisait une jeune Française dans les alentours de Klioutchy, le village clé base militaire, descendant les pentes glacées d'un volcan avec deux Russes à sa suite, en autonomie totale ? Deuxièmement, comment est-il possible que cette étrangère ait pu survivre à l'attaque d'un ours, les témoignages rapportant qu'elle lui a donné un coup de piolet dans le flanc droit pour se défendre ? La question centrale à élucider est la suivante : est-elle un agent secret surentraîné envoyé sur place par la France (ou pire, par les États-Unis) pour espionner les équipements militaires russes de la région ? L'exposé des faits ne joue pas en ma faveur. L'agent du FSB ajoute qu'il est aussi écrit dans son rapport que j'ai longtemps travaillé en Alaska avant de venir ici ; que je suis entrée au Kamtchatka avec un visa de chercheur, ce qui n'améliore pas mon cas ; que j'ai passé la plupart de mon temps dans une « no flying zone » militaire au sud de la région du Bistrinski, là où les derniers chasseurs évènes survivent encore en autarcie quasi totale. Et d'ailleurs que faisiez-vous là-bas ? me demande-t-il sèchement. Ivan se recroqueville un peu plus derrière la porte de douche. Des recherches, je réponds. Ethnographiques, je précise. Il faut plus de trois heures à l'agent pour s'accorder avec moi sur le fait que je ne suis pas une espionne et que, même si c'est difficilement croyable, je suis sortie vivante de cette affaire pour des raisons qui ne sont ni celles de la guerre, ni celles de l'espionnage.

*

Les jours qui suivent, une étrange procession commence. Les humains ont cette curieuse manie de s'accrocher à la souffrance des autres telles des huîtres à leurs rochers. Tout se passe comme si l'événement les révélait enfin à eux-mêmes, comme si le drame faisait resurgir des émotions trop longtemps enfouies sous leurs peaux dans leurs organes, des sentiments si extraordinairement authentiques qu'ils en deviennent trop lourds à porter. Pour s'en débarrasser, il semble que le plus commode soit de les renvoyer d'emblée à l'initiateur du trouble intérieur. En l'occurrence, moi. J'ai donc vu débarquer à l'entrée de mon couloir nombre d'inconnus venus me visiter, m'apporter un petit quelque chose, me confier à quel point ils compatissaient à ma souffrance. La plupart du temps, j'avais envie de hurler ; je bouillonnais. Je me disais chaque fois, comment ne pas comprendre qu'une femme de vingt-neuf ans momentanément défigurée aspire à l'isolement, à la tranquillité et au silence ? Je priais les infirmières d'interdire ma porte au tout-venant, je les suppliais de ne laisser entrer que mes proches. Requête qui surajoutait à la perplexité de mes gardiennes, puisque mes « proches » ne se ressemblaient pas, ne parlaient pas la même langue, ne vivaient pas dans le même monde. Un soir, l'infirmière qui m'apportait la kacha[1] depuis une semaine me lance en riant :

1. Bouillie russe typique, à base de sarrasin et de lait.

Nastia, on dirait presque qu'il y a deux personnes différentes dans cette chambre!

Le temps coule lentement. Chaque jour, des mains féminines expertes retirent le bandeau qui entoure mon crâne, nettoient les points de suture, renouent le bandeau. L'un de ces après-midi, la plus gentille des soignantes me dit en caressant doucement ma tête: Nastia, tu ne seras pas chauve. J'ai presque envie de rire, c'est sûrement les nerfs. Je n'avais pas compris « qu'être chauve » faisait partie du registre des possibles.

Les analyses postopératoires sont bonnes, nous nous préparons à plier bagage pour rentrer en France. Ma mère et moi passons des heures à discuter, assises sur mon petit lit l'une contre l'autre, pour savoir dans quel hôpital il serait préférable que je sois transférée: dans quel service maxillo-facial, avec quels chirurgiens. Nous hésitons longuement, puis nous optons pour la Salpêtrière, à Paris. Mon autre frère Thibaut et ma grande sœur Gwendoline habitent là-bas, Charles aussi, et tous les trois poussent dans ce sens par téléphone. Nous retournons dans nos têtes divers arguments, nous pesons le pour et le contre des heures durant, puis nous lâchons prise. Ma mère comme moi n'avons pas la force de penser plus loin. Si j'avais su, tout aurait pu être différent. Ou peut-être pas, de toute façon, c'est trop tard pour revenir en arrière.

*

Le jour du départ, l'ambulance me conduit à l'aéroport. Je dois encore attendre dans la voiture, les brancardiers m'interdisent de sortir. Dehors, Daria et Ivan se tiennent droits sur le bitume. Je soudoie mon chauffeur pour les faire monter, rien qu'un instant. Faveur accordée. Ils entrent, nous pleurons. Puis Daria se ressaisit, comme chaque fois, elle qui connaît les tourments de l'existence mieux que personne. Je revois son beau visage au-dessus du feu dans la yourte à Tvaïan, un soir d'été alors que les petits dorment sur les peaux et que les grands fument leurs cigarettes dehors en discutant avec animation. Sa voix baisse, elle chuchote presque alors, et me raconte la disparition des deux pères de ses cinq enfants, ses deux maris qui n'ont pas survécu, au travail dans le kolkhoze pour le premier, aux rixes et au banditisme postsoviétique pour le second. Je me souviens avoir été effrayée par les morts violentes qu'elle évoquait ; avoir eu envie de pleurer lorsqu'elle se demandait si, chaque fois qu'elle apercevait un ours, ce n'était pas son second époux emporté par la mer qui revenait la saluer ; et avoir pensé, inévitablement, à mes propres disparus, m'être demandé où ils étaient désormais, et si eux aussi pouvaient me voir. Aujourd'hui comme ce soir-là, elle répète : *Ni nado plakat Nastia.* Il ne faut pas pleurer. *Vsio boudet khorocho.* Tout ira bien. Et encore : Pour continuer à vivre, il ne faut pas penser aux mauvaises choses. Il n'y a que l'amour qu'il faille rappeler à nous.

*

De l'avion je n'ai que de brefs souvenirs assez désagréables. Mis à part les douleurs liées aux blessures, je me souviens surtout d'une intense frustration : voyager en première classe, ce qui ne m'était jamais arrivé, sans pouvoir profiter ni du champagne ni du saumon fumé, alors qu'à mes côtés mon frère, lui, se régale. Ma cicatrice s'est rouverte avec la pressurisation de la cabine, du sang perle sur ma joue droite. Une larme coule sur celle de ma mère. Elle sort un mouchoir, éponge doucement les gouttes de sang. Elle est si forte, je me dis alors. À Moscou, une image : un homme d'une cinquantaine d'années pousse mon fauteuil roulant (maman a insisté pour que je ne fasse « pas de grabuge pour une fois » et que je reste tranquillement assise même si je préférerais qu'on me laisse marcher), cet homme donc, piqué de curiosité face à mon visage dissimulé par un chèche multicolore noué à la Touareg, me demande : Tu reviens du Kamtchatka… tu es tombée d'une montagne ? Je savoure un petit silence bien mérité avant de répondre. Non, je me suis battue avec un ours.

Hiver

La Salpêtrière donc. Comment rassembler les images de ce lieu qui aurait dû être mon refuge et qui s'est révélé être l'apogée de ma descente aux enfers ? Dans l'ordre, peut-être. À peine m'a-t-on laissée seule que j'entre dans la salle de bains et défais le bandeau qui entoure ma tête. Je n'ai pas encore vu mon crâne. Le tulle tombe sur le linoléum orangé. Je regarde par terre. Puis j'ose, je relève peu à peu les yeux, je fixe le miroir. J'ai les cheveux rasés à la garçonne, presque une coupe en brosse. Les cicatrices rouges du visage sont encore un peu gonflées, celles du cuir chevelu sont en train de disparaître sous le duvet sombre qui repousse. Je m'effondre au sol, et je laisse mes larmes tout inonder. Je pleure comme une petite fille abandonnée, je pleure tout ce qui n'a pas pu être évité, je pleure mon ours, mon visage d'avant perdu, mon existence antérieure, elle aussi certainement perdue, je pleure tout ce qui ne sera plus jamais pareil. Je passe ma paume sur mes cheveux ras. Je sens cette drôle de sensation de chatouillis du crâne au toucher, qui donne envie de recommencer encore et encore. Je me rappelle à la vie. Je me lève, me regarde une nouvelle fois dans le miroir, me retourne, actionne la poignée de la salle de bains et décide de faire face à cet hôpital avec ce visage-là.

*

Comme c'est un ours qui débarque à la Salpêtrière par l'intermédiaire de mon corps, et qu'en plus c'est un ours russe, le personnel de l'hôpital met toutes les procédures de sécurité et de prévention en place : je suis en quarantaine. La plante verte et la kacha de Petropavlovsk sont loin, on ne plaisante pas avec l'hygiène et la sécurité ici. Chaque fois que les infirmières entrent, elles se vêtent de papier bleu qu'elles jettent en sortant. Le papier, c'est du non-tissé. C'est le compagnon de ma mère qui me l'a dit, parce qu'il a longtemps travaillé dans le domaine. Mes gardiennes mettent aussi des gants. Des chaussons. Des masques. Elles enjoignent à mes proches de faire de même, mais heureusement ils ne s'y conforment pas, ils résistent à la violence du non-tissé et du masque, pour moi. Je me sens comme un animal sauvage qu'on aurait attrapé et placé sous un néon blafard afin de l'observer à la loupe. Tout hurle en moi, les lumières blanches des halogènes me brûlent les yeux, la peau. Je voudrais disparaître, je voudrais retourner dans la nuit arctique, sans soleil et sans électricité, je pense aux bougies, ce serait tellement plus doux si je pouvais me cacher, me cacher, me cacher. Je me ressaisis la nuit, quand tout s'éteint enfin, quand les allées et venues cessent. Je fixe un point dans le noir, je pars sous la terre, je parle à mon ours.

*

Aux heures ouvrables je reçois des visites, surtout au début. Mon frère Thibaut me raconte les derniers documentaires qu'il a réalisés, me montre des extraits, m'amène des milk-shakes aux fruits de la passion. Quant à ma sœur Gwendoline, pour me tenir compagnie elle a déplacé son bureau quelques heures par jour dans les couloirs de la Salpêtrière. J'entends claquer ses talons devant ma porte alors qu'elle fait les cent pas, kit mains libres aux oreilles, prenant certainement de très importantes décisions pour le compte de la SNCF. Charles aussi vient souvent me voir. Il m'a d'abord apporté une carte postale signée par des membres du laboratoire d'anthropologie sociale. Chaque fois, il me décrit les dernières conférences intéressantes auxquelles il a assisté, me raconte les démêlés entre collègues au sein du laboratoire. J'écoute comme si j'étais derrière une vitre, sa voix se fait lointaine. Je m'imagine sur une embarcation dont on aurait détaché l'amarre, je regarde le rivage qui s'éloigne inexorablement. Le navire recule emporté par le courant, la poupe en avant, je perçois les silhouettes de mes proches demeurés sur la terre ferme, je suis incapable d'abolir, ni même de réduire, la distance qui grandit entre moi et eux.

Jusqu'au jour où je demande à Charles d'arrêter de venir me voir, ce qui le rend triste. Je crois qu'il me trouve injuste. Je suis désolée, c'est tout ce que j'arrive à lui dire. Je ne formule aucune justification, rien de solide et d'argumenté ne me vient à l'esprit, aucune bonne raison. Je coupe les ponts, tout simplement. Pas seulement avec lui, mais avec tous mes amis. J'arrête de répondre au téléphone.

*

Je suis une universitaire, je comprends. La nécessité de partager son travail avec les étudiants, de les faire participer, de profiter de chaque occasion pour faire avancer leurs connaissances, de débattre des questions qui nous animent au sujet d'un objet particulier. Sauf qu'aujourd'hui cet objet, c'est moi. Un cortège d'étudiants en médecine, suivant leur professeur comme les abeilles leur reine, entre dans ma chambre. Ils ont mon âge ou à peine moins, carnets de notes à la main, blouses blanches, regards studieux, ils observent et écoutent le professeur présenter mon cas. Morsure d'ours au visage et au crâne, fracture de la branche mandibulaire inférieure droite, fracture de la pommette droite, nombreuses cicatrices face et tête, autre morsure à la jambe droite. Pendant qu'ils prennent des notes je les regarde un par un. Ils sont si propres, si bien rangés, si lumineux dans leurs blouses blanches, je me dis. Et moi ? Je repense aux mots pas très délicats d'un proche passé me voir peu après mon arrivée : Ça pourrait être pire, on dirait juste que tu sors du goulag. Envie impérieuse de me cacher, de couvrir mon visage d'un voile pour me soustraire à leurs regards. Je les entends, ce soir, raconter à leurs amis l'histoire de la « fille de l'ours » rapatriée dans leur service de chirurgie maxillo-faciale. J'essaie de faire taire les commentaires que j'imagine déjà. Elle est défigurée, la pauvre. Elle devait être belle, avant.

*

Le lendemain, la psychologue du service me rend visite. Chaussures à petits talons carrés, jupe cintrée, blouse blanche, cheveux blonds tirés en chignon. Bonjour madame Martin, et les formalités habituelles qui s'ensuivent. Elle me demande comment je me sens, « psychologiquement ». Faute de mieux, je lui réponds que mon psychisme ressemble certainement à ma peau et à mes os, déchiré, cassé, tailladé. Mais encore ? Je me sens vivante, j'ajoute en tentant un sourire. Elle me scrute d'un regard qui se veut aimable et plein de bonne volonté. Mais vraiment, comment vous sentez-vous ? insiste-t-elle. Un silence, puis elle reprend. Parce que, vous savez, le visage, c'est l'identité. Je la regarde, ahurie. Les pensées s'entrechoquent dans ma tête, qui subitement surchauffe. Je lui demande si elle prodigue ce genre d'informations à tous les patients du service maxillo-facial de la Salpêtrière. Elle hausse les sourcils, déconcertée. Je voudrais lui expliquer que je collecte depuis des années des récits sur les présences multiples qui peuvent habiter un même corps pour subvertir ce concept d'identité univoque, uniforme et unidimensionnel. Je voudrais aussi lui dire tout le mal que cela peut faire, d'émettre un tel verdict lorsque, précisément, la personne qui se trouve en face de vous a perdu ce qui, tant bien que mal, reflétait une forme d'unicité, et essaie de se recomposer avec les éléments désormais *alter* qu'elle porte sur le visage. Sauf que je garde ça pour moi. Je n'arrive qu'à assembler un courtois : Je crois que c'est plus compliqué. Et encore, mais cela m'échappe : Heureusement que les fenêtres ne peuvent pas s'ouvrir dans les chambres… l'identité perdue du défiguré, c'est violent, comme sentence. Contre toute attente elle m'octroie un nouveau sourire, elle blague, c'est bon signe, elle doit se dire. Elle ne perd pas le nord : Est-ce que j'arrive à dormir la nuit ? J'imagine qu'elle voudrait que je me confie. Que j'évoque l'horreur, le fauve, sa gueule, ses dents, ses griffes, que sais-je encore. Je lui souris à mon tour. Elle n'est pas malveillante, elle n'est sûrement pas incompétente non plus, elle est juste à côté, ailleurs. Elle ouvre des yeux étonnés lorsque je lui assure que la nuit, tout va mieux. C'est vrai, la nuit je vois plus clairement parce que je vois au-delà ; au-delà de l'immédiatement donné aux sens de la vie diurne.

Est-ce que je rêve ? Comment lui dire. Oui, tout le temps. Mais je fais autre chose avant de rêver. Je me souviens. Je rejoue la scène, chaque soir avant de m'endormir, des semaines et des heures qui ont précédé le basculement de ma vie.

*

Nous plantons la tente dans une petite clairière, après avoir passé la journée à marcher dans la forêt, machette au poing. Plus tôt ce matin, nous avons quitté la piste qui s'est transformée en sente, qui s'est fondue en sous-bois inextricables. Nous devrons attendre demain pour sortir du bush, nous laisserons Klioutchy et son immense taïga dans notre dos et nous élèverons enfin vers les volcans. Par intermittence dans le lointain, les cimes enneigées se découvrent. Nous finissons d'installer le camp pour la nuit, allumons un grand feu, des ombres dansent sur les arbres alentour. C'est le premier jour de notre expédition dans le massif du Klioutchevskoï, le plus haut volcan du Kamtchatka, un périple qui devait durer deux semaines. Cette nuit-là, je m'endors en pensant aux montagnes toutes proches mais mon sommeil m'apporte les ours. Ils rôdent près de la tente, tournent autour du feu. Ils sont grands, bruns, menaçants. Je me réveille en sueur, angoissée. Je pensais avoir laissé ces images derrière moi en forêt, je voulais m'en débarrasser, elles me poursuivent, soit. Les deux jours suivants j'ai mal au ventre, marcher, marcher, ne plus y penser. Et puis ça passe. Les visions de la nuit finissent toujours par passer, on les oublie, c'est tout, ce qui ne veut pas dire qu'elles cessent d'exister.

La végétation s'amenuise, il n'y a plus d'arbres, nous progressons dans de hautes fougères. Trois cents mètres de dénivelé, et nous nous frayons un passage dans les vernes. Notre éclaireur n'est manifestement pas humain, notre éclaireur est un ours, nous voyons ses traces qui nous précèdent, ses laissées pleines de baies. Cinq cents mètres encore et la végétation disparaît, les traces aussi. Enfin, je me dis. Nous sortons du tout-vivant. La vue est dégagée, minérale, il n'y a plus personne à l'horizon, juste Nikolaï et Lanna en contrebas qui marchent, le dos ployé sous le poids de leur chargement. J'ai l'impression de respirer, je crie de joie dans le vent. Cela dure quelques jours, le sourire aux lèvres, la légèreté, le corps qui s'affûte, les sens qui s'aiguisent à mesure que l'on monte. Il y a une ivresse de la haute montagne. Un intense bonheur propre au détachement. Et puis, juste derrière, il y a toujours les épreuves, qui attendent.

Le sac de Lanna est trop lourd pour elle, avec Nikolaï nous l'avons allégé autant que possible en partageant sa charge, mais nous n'avons plus de place. Pour atteindre le col, entre les volcans Kamien et Klioutchevskov à plus de trois mille mètres, je pose mon sac sur un rocher, je redescends et remonte le sien. On avance comme ça, par étapes tous les deux cents mètres. Dans quelle galère me suis-je embarquée ? Je commence à sentir une pointe d'agacement au creux du ventre, malgré le paysage à couper le souffle, malgré l'air froid qui ravive mes chairs. Au col, après l'ascension du Kamien, la tempête nous tombe dessus. Nous attendons, trois, quatre jours, que le brouillard se lève pour descendre du glacier, mais rien ne se passe. Les vivres ont été calculés pour un peu plus de deux semaines, si demain nous ne bougeons pas, nous n'aurons plus assez de nourriture pour rentrer. Nous sommes toujours plongés dans le blanc mais ma décision est prise : nous partons. Au petit matin, j'encorde Nikolaï et Lanna, je sors le GPS, j'active le point suivant, mon regard se perd quelque part dans le brouillard en contrebas. Il a beaucoup neigé, les crevasses sont partiellement couvertes. J'entame la descente avec circonspection, me frayant un passage dans la purée de pois. Tendez la corde. J'entends les ponts de neige qui s'affaissent sous mes pieds. Tendez la corde ! Je hurle dans la brume épaisse, une légère pression dans le baudrier m'indique que trente mètres plus haut Nikolaï a compris et s'est remis en tension dans la corde. Droite, gauche, droite, devant, j'évite tout ce qui me semble être une dépression, je zigzague, la progression est lente mais nous baissons en altitude, quand soudain le brouillard se dissipe. La neige s'amenuise, il bruine sur le glacier sale de cendres volcaniques. Les crevasses, enfin nettes, apparaissent ; je souffle.

La suite, c'est une version du Minotaure dans le labyrinthe : un dédale de vallées infernales de glace et de lave atomisée. Je cherche le passage sans trop réfléchir, je fais comme l'eau, j'essaie d'aller au plus logique. Mes pieds s'enfoncent dans la cendre ou glissent sur des plaques de glace noire mais je n'y pense pas, je rappelle à moi tous ces petits riens d'existence, les clins d'œil des amants, les éclats de rire des amis. Et surtout, je blague dès que nous faisons une pause. Nikolaï et Lanna me regardent, déconcertés, mais je parviens à leur arracher quelques sourires. L'humour est un remède imparable dans les situations extrêmes : il aide à survivre. Au bout de trente heures non-stop, nous sortons enfin du chaos. En contrebas, il faut encore traverser une rivière glaciaire tumultueuse, de cinq mètres de large et d'un mètre cinquante de profond, dont le flot se perd sous les crevasses en aval.

Nous passons au prix de quelques disputes, la peur fait hausser le ton de nos voix. Sur l'autre rive, il y a l'envie pressante de s'allonger par terre et de ne plus bouger. Ce soir-là, le dernier de ma vie d'avant, je me pose des questions sur le pourquoi de cette entreprise, censée me sauver momentanément des bois. Las, je suis exsangue. Nous sortons le *spirt*, les petits verres. Sous la tente au beau milieu de la moraine glaciaire nous trinquons, bien joué, bientôt fini. La nuit, je dors peu. Sortir de là, vite. Retrouver la vie, en bas. Quitter les cimes mortifères.

*

Sous ma forme fauve je marche sur la plaine d'altitude. C'est le terme de notre voyage, le volcan se perd dans les brumes, le glacier étire ses dernières crevasses désormais sans profondeur. Le pas est délié, souple et rapide, il faut en finir maintenant. Je revois tournoyer mes pensées rageuses à cet instant précis, juste après avoir détaché Lanna et Nikolaï. Ils me fatiguent avec leurs considérations exaltées, reparties de plus belle juste après les épreuves ; avec leurs mots d'esprit sur la beauté de la Nature, sur le paysage qui s'offre enfin à nos yeux depuis que le chapeau nuageux s'est levé et que l'enfer glaciaire et volcanique est définitivement derrière nous. Je regarde Lanna s'extasier, je me la remémore deux jours plus tôt là-haut dans le brouillard, les yeux remplis de larmes, alors que je tendais la corde pour qu'elle enjambe les crevasses impossibles à contourner. Je m'énerve intérieurement. Je plie la corde à la hâte et me libère enfin d'eux, je prends congé, quel bonheur, quelle légèreté. Je me refuse à marcher à leurs côtés, peut-être parce qu'ils sont trop lents et parce que leurs conversations ne m'intéressent pas, surtout parce que je veux pouvoir me perdre dans mes pensées. Je leur indique le cap, le gros rocher bien visible où nous allons nous retrouver, c'est simple, c'est tout droit, il n'y a plus aucun risque je leur dis. Je pars seule, je cours presque alors, je vois la forêt, le thé qui fume dans la yourte, la lueur des braises sur les visages ovales et les yeux verts du chasseur. Je suis impatiente. Je bouillonne, je suis si pressée, pressée de m'extraire du dehors. Ou plutôt du paysage, c'est du paysage que je veux sortir. De cette idée avec laquelle Lanna et Nikolaï se promènent, quand leurs corps ou la dureté des éléments les laissent enfin tranquilles, de cette idée qui les fait parler à longueur de journée, les yeux levés au ciel. Pourtant au sortir du monde minéral et alors que je fuis mes compagnons de cordée j'échoue, moi aussi je me laisse aller à une forme de contemplation morbide : ce n'est pas vers les hauteurs ou vers le sol que je regarde, c'est à l'intérieur, en dedans. Je souhaite tellement sortir de ce dehors et rejoindre le ventre de la forêt que j'oublie où je me trouve, dans un monde potentiellement habité et parcouru par d'autres êtres vivants. J'oublie, c'est aussi simple que cela. Comment puis-je oublier ? Je me demande aujourd'hui. C'est le glacier dans mon dos, la Nature de Nikolaï et Lanna et la pierraille à perte de vue, c'est la tempête de ces derniers jours, l'enfermement dans la tente au col et l'anxiété de ne pas pouvoir redescendre des volcans. C'est cette rivière bouillonnante plus haut qui a failli nous emporter, l'empressement puis le relâchement une fois sortis d'affaire. C'est la fatigue, la peur et la tension, tout ça qui se désagrège dans un même mouvement. C'est ma mélancolie intérieure, que même l'expédition la plus lointaine n'a pu guérir.

C'est tout cela à la fois, mais ce ne sont pas les raisons de l'oubli ; ce ne sont que les circonstances. Les raisons, elles, appartiennent au temps du rêve et ne se laissent saisir que fugacement la nuit dans le noir le plus profond.

Oui, j'essaierai de vous raconter mes rêves, je dis à la psychologue. Revenez plus tard, ça risque d'être long. Sourire contrit. Elle est un peu maladroite, c'est vrai. Énervante, aussi. Mais dans le fond, je crois que je l'aime bien quand même. J'aime la manière avec laquelle elle plisse les yeux et fronce les sourcils, elle veut comprendre, ça se voit. Je m'en veux de n'avoir pas été très aimable. Je me rattraperai plus tard, je me dis en écoutant le bruit sourd de ses talons qui s'éloignent sur le linoléum vert alors que ma tête se tourne vers la fenêtre et que mon regard se perd dans les branches des arbres qui se balancent doucement, dehors.

*

C'est le jour de ma première opération en France. D'un commun accord avec son équipe, ma chirurgienne a décidé qu'il était risqué de laisser dans ma mâchoire une plaque de l'Est ; qu'il était plus sûr de la remplacer par une plaque de l'Ouest. Les clichés radiographiques montrent qu'elle a été fixée avec des vis bien trop grosses, « à la russe », c'est l'expression employée. Pour ne rien arranger, la plaque est très épaisse, me dit-on, et placée dans un axe qui rendra la rééducation périlleuse. Peut-être qu'à ce moment-là il aurait fallu dire que je faisais confiance aux Russes, moi. Que je voulais d'abord rentrer chez moi pour prendre le temps de me réparer. Je ne sais pas. À ce stade de la nuit, ni le vrai ni le juste ne m'étaient accessibles. Mais le sont-ils jamais ? C'est ainsi que, tranquillement mais implacablement, ma mâchoire est devenue le théâtre d'une guerre froide hospitalière franco-russe.

En remontant du bloc la douleur est intense, je demande de la morphine pour la première fois ; comme tous les soirs qui allaient suivre l'opération, lorsque la souffrance deviendrait insupportable. Sur une échelle de un à dix, vous avez mal comment ? La fameuse question que tous les patients des hôpitaux français connaissent m'est posée. Au début j'hésite, je bafouille, j'ai peur d'abuser, peur de me faire mal voir. Je m'interroge sur cette étonnante échelle. Je me la fais expliquer plusieurs fois. À partir de quel chiffre peut-on être prise au sérieux ? Cinq ? Six ? Ne pas être trop gourmande, je me dis au début, si j'annonce un nombre trop élevé, après je ne pourrai pas monter plus haut s'ils résistent à me fournir la drogue. Est-ce que tous mes voisins de chambre font le même genre de calculs que moi ? Est-ce qu'eux aussi essaient tant bien que mal de manipuler les infirmiers les plus récalcitrants ? Pas facile, avec ce foutu gradient censé évaluer l'intensité de ce qui se passe dans un corps en souffrance. Sur ça aussi, il a fallu mettre un nombre ? Je me révolte intérieurement, je me fâche même une ou deux fois, mais avec le temps et les échecs récurrents à obtenir ce que je veux, je me fais une raison. Tout cela ne sert à rien. Questionner l'échelle, les valeurs, les chiffres foireux ; essayer d'exprimer son ressenti avec finesse. Ça ne sert rien. Quand on a vraiment mal à l'hôpital, et qu'on veut quelque chose pour calmer la douleur, il faut dire 9. Même plutôt 9,5. Il faut entrer dans l'échelle, dans sa logique ; il faut intégrer la norme et faire mine de l'accepter pour obtenir gain de cause.

À bien y repenser, l'inadéquation de l'échelle est contenue dans son application même : il y a quelque chose de surréaliste à devoir en passer par une mesure si rationnelle et codifiée pour se voir administrer une drogue qui, dans le meilleur des cas, va vous envoyer dans des nimbes ingouvernables.

*

Je suis dans ma maison d'enfance, à La Pierre. Je descends du champ des chevaux, sous la châtaigneraie. En contrebas du pré, derrière la maison, il y a ce lieu, qu'on appelait « le jardin des oiseaux ». On le nommait ainsi parce que avant ma naissance, quand ma sœur Maud était petite, notre père y avait installé une grande volière avec des dizaines de tourterelles. Ma sœur les aimait plus que tout. Jusqu'au jour où un renard est venu. Il a creusé un tunnel et fait un carnage à l'intérieur. Il les a juste tuées, comme ça, et n'en a mangé qu'une seule. Maud était folle de douleur. Le lendemain mon père a démonté la volière, il n'y aura plus de cages c'est absurde il a dit, les oiseaux du jardin seront des oiseaux libres ou ne seront pas. Donc je suis là, juste au-dessus du jardin des oiseaux tel que je l'ai connu moi, le vieux puits au milieu, la petite cabane à gauche avec ses fenêtres brisées, le fil à linge et les mésanges perchées à droite, les noisetiers et les plants de groseilles de maman autour. Je me penche pour passer sous la barrière du parc des chevaux situé juste au-dessus, je m'avance vers le jardin des oiseaux. Je me fige. Quelque chose sort du puits, une tête. Mon estomac se contracte de peur. Je le vois nettement maintenant, alors qu'il s'extirpe de terre. Il est gros, marron clair, fauve. Je tourne la tête. Il y en a un autre, assis sur la petite table ronde en pierre. Grognements. Un troisième sort de la cabane. Celui qui est sorti du puits m'avise et d'un pas nonchalant se dirige vers moi. Je me mets à courir mais je suis si lente, je déteste ça, ce ralenti propre au temps du rêve qui englue les membres surtout lorsque l'on doit fuir. Je passe à côté d'eux, je veux rejoindre la porte-fenêtre à l'arrière de la maison, je me dis qu'ils vont m'attraper, je cours, je rampe, je dois me servir de mes mains qui s'agrippent par terre comme un quadrupède pour essayer d'accélérer l'allure, la porte se rapproche, j'escalade presque le sol à l'horizontale et dans un ultime élan je m'engouffre à l'intérieur et claque la porte derrière moi.

La psychologue me regarde, pensive. C'est moins violent que ce à quoi je m'attendais, avoue-t-elle. Évidemment. Aucun rêve ne peut surpasser ma réalité. Qu'en dites-vous ? je questionne. Elle cligne des yeux. Que les ours habitent vos souvenirs, qu'ils rôdent dans votre mémoire, qu'ils surgissent de votre passé et… quoi d'autre encore ? Rien, je dis. C'est déjà beaucoup.

*

Je suis rentrée chez ma mère depuis quelques jours. Il y a des bandages sur mon visage et sur ma jambe, deux infirmières très gentilles se relaient quotidiennement pour me soigner. Il y a surtout ce liquide jaune qui suinte sous la mandibule droite. C'est normal, m'ont-ils prévenue à la Salpêtrière, ça va encore durer quelques jours. Mais cela fait maintenant plusieurs semaines. Je n'ai pas vraiment mal. J'ai juste peur, peur de tout ce qui n'est pas refermé en moi, de tout ce qui s'y est potentiellement insinué. Il y a d'autres êtres à l'affût dans ma mémoire ; il y en a donc peut-être aussi sous ma peau, dans mes os. Cette idée me terrifie, parce que je ne veux pas être un territoire envahi. Je veux fermer mes frontières, jeter les intrus dehors, résister à l'invasion. Mais peut-être suis-je déjà assiégée. Chaque fois c'est la même chose. Face à ces pensées-là, je sombre : je sais qu'avant de fermer mes frontières, il faudrait déjà pouvoir les reconstruire.

Puisque je suis à Grenoble chez ma mère depuis ma sortie de la Salpêtrière, on me conseille d'aller faire des analyses sur place dans le service maxillo-facial. Je déteste cet hôpital de La Tronche, m'en approcher me donne la nausée. Quelqu'un a été très malade ici quand j'étais petite, peut-être mon père avant qu'il ne meure, je ne sais plus. Je m'avance sur la grande place de l'entrée Belledonne du CHU, je me souviens que la dernière fois que je suis sortie par cette porte j'ai vomi sur le parvis, juste avant les escaliers en fer. J'avais sept ans, notre médecin de famille m'avait diagnostiqué une appendicite. Un peu plus tard dans l'une de ces chambres, on m'avait dit que finalement ce n'était pas ça. Nous étions sorties soulagées avec ma mère, mais je n'avais fait que quelques mètres dehors avant de me plier en deux les mains sur l'estomac. Je n'ai aucune envie d'être là, je me dis en marquant la pause devant la grande porte vitrée. J'entre quand même. L'odeur, le lino, les couleurs, les uniformes, les tickets d'attente au guichet d'accueil, tout me révulse.

Les résultats d'analyses concernant le liquide jaune qui suinte sous la mandibule sont alarmants : la chirurgienne grenobloise m'annonce que j'ai contracté une infection nosocomiale lors du remplacement de la plaque russe par la plaque française à la Salpêtrière. Un streptocoque résistant, habitant du bloc opératoire parisien, a élu domicile sur la nouvelle plaque qui devait me sauver de la mauvaise qualité de sa concurrente russe. Pire, il se reproduit à grande vitesse, il est en train de la coloniser. On a peur pour l'os de ma mâchoire ; peur qu'il soit colonisé à son tour. Et alors là madame, me dit-on, là ce ne sera plus la même histoire pour l'éliminer, le microbe peut se répandre, partout. Mes peurs se concrétisent : je suis bien victime d'une invasion. L'ironie de la situation aurait pu m'amuser si je n'avais été abattue par l'exposé des faits, et affolée par ce qu'il impliquait. La chirurgienne grenobloise coupe court au moindre commentaire. Pour elle, tout est clair. Les praticiens de la Salpêtrière ont fait preuve, une fois encore, d'incompétence. Je m'étais habituée à l'idée que ma mâchoire soit devenue le théâtre d'une guerre froide médicale franco-russe, mais je ne m'attendais pas à ce que viennent s'y loger, en plus, les rivalités entre services hospitaliers français, et la mesquine concurrence entre hôpitaux parisiens (qualifiés d'« usines ») et hôpitaux de province, censés être à taille plus humaine (ici vous n'êtes pas un numéro mais une personne, etc.).

La chirurgienne grenobloise affirme à son tour qu'il va falloir tout reprendre à zéro. Elle m'expose son plan : pour enfin faire les choses correctement, elle va ouvrir, retirer la plaque infectée, tout nettoyer à l'intérieur et remplacer l'attelle interne par un système de fixation externe. En cet instant, je plonge au plus profond du gouffre dans lequel je suis entrée au dispensaire de Klioutchy. Je m'imagine avec des vis qui sortent de mon visage et une mâchoire en métal qui s'y attache, je me vois mécanisée, robotisée, déshumanisée. Des larmes coulent sur mes joues, je me lève, non, je dis simplement, non vous ne ferez pas ça. Et je quitte la pièce. Attendez ! Revenez ! Je cours dans le couloir. S'enfuir de cet hôpital de malheur, je ne pense plus qu'à ça, je dévale les marches deux par deux, blanc vert blanc vert, réfléchir, trouver une solution, se calmer, se calmer.

C'est la kinésithérapeute grenobloise où j'allais pour des séances de drainage lymphatique qui m'avait envoyée chez cette chirurgienne pour effectuer des analyses, une amie à elle, très compétente m'avait-elle assuré. Au lieu de me protéger en annulant mes rendez-vous pour réfléchir tranquillement, j'accumule les erreurs et me rends à la séance de drainage prévue le lendemain. Alertée par sa chère collègue qui lui a communiqué les résultats des examens, ainsi que ma réaction violente à son diagnostic, la kiné se révèle mon pire cauchemar. Alors que ses mains gantées de plastique se posent sur mon visage pour faire s'écouler la lymphe hors de mon visage, elle me rappelle la gravité des infections nosocomiales, le péril qu'il y aurait à ne pas suivre les préconisations de la chirurgienne, puisqu'elle « sait mieux que moi » ce qu'il convient de faire. Ses mains vont et viennent. Elle m'assène que si je ne fais pas exactement ce qu'on me dit, cela peut aller très loin, que je risque de finir comme le jeune Depardieu après son accident, que je peux très bien me suicider. Les mains gantées se retirent, la séance est finie.

En sortant du cabinet je lève mon visage fatigué vers un soleil blanc. Pourquoi tout ça ? Il va me falloir plonger une fois de plus en moi-même. Je pense à l'ours. S'il est vivant, au moins vit-il sa vie d'ours sans toute cette violence symbolique et concrète dont je fais les frais. Enfin, qui sait ? Peut-être que le peuple des ours a lui aussi ses procédures de mises au ban, ses manières de marginaliser les *outsiders*, d'écarter ceux qui ne sont plus conformes. Je baisse mes yeux éblouis, j'entre dans la voiture, j'enclenche la clé dans le contact. Quoi qu'il en soit. Je ne verrai plus jamais ces gens.

*

Je retourne à la Salpêtrière pour consulter la chirurgienne qui m'a opérée la dernière fois. Celle qui, en remplaçant la plaque russe par la plaque française, a permis à mon envahisseur microscopique de s'installer dans ma mâchoire. Ce n'est évidemment pas sa faute mais je lui en veux, un peu, et je me dis que c'est à elle de trouver une solution. Elle me propose d'ouvrir pour tout nettoyer, et de se servir de mon os iliaque pour pratiquer une greffe osseuse. Autre chose encore : il va falloir arracher une dent, une molaire, pour ne rien laisser au hasard, pour éviter tout essor de l'infection. Réfléchissez, elle me dit. C'est ce que je fais depuis trois jours, face à la mer chez ma grande sœur Gwendoline. Je réfléchis.

Le mois d'octobre touche à sa fin, je suis assise sur une terrasse de café à Arcachon. La mer devant et le soleil d'automne derrière, réchauffant ma tête sans cheveux marquée par la bête de l'autre monde – celui où on ne se promène pas sur des pavés roses sous des lampadaires blancs à l'ombre des palmiers. Je regarde les bateaux et leurs chaînes rouillées qui disparaissent sous la surface de l'eau. Je me dis qu'il vaut mieux que j'accepte mon inadéquation, que je m'arrime à mon mystère. Les bateaux flottent et je me rappelle les instants de fulgurance après le combat. L'évidence de la forêt, l'évidence qui fait que je décide de ne pas mourir. Je veux devenir une ancre. Une ancre très lourde qui plonge jusque dans les profondeurs du temps d'avant le temps, le temps du mythe, de la matrice, de la genèse. Un temps proche de celui où les humains peignent la scène du puits à Lascaux. Un temps où moi et l'ours, mes mains dans ses poils et ses dents sur ma peau, c'est une initiation mutuelle ; une négociation au sujet du monde dans lequel nous allons vivre. Les bateaux flottent et je visualise cette ancre disparaître dans un espace qui me précède et qui me fonde. Je me dis que si j'y arrime mon embarcation, elle ne dérivera plus : elle ondulera sur la surface vivante du présent.

Or donc, il faut que je prenne une décision pour refermer les brèches ouvertes de mon corps, qui me tiennent dans une liminarité inconfortable ; et bientôt peut-être invivable. Les bateaux flottent et les gens marchent sur les pavés roses. D'accord. Être moi aujourd'hui, c'est refuser le consensus, éviter le concordat sans toutefois recourir au hara-kiri. D'accord, je vais me faire réopérer.

*

Novembre à Paris, entre pluie et brouillard. L'ours a emporté dans sa gueule un bout de ma mâchoire et deux de mes dents il y a trois mois. La chirurgienne va m'en arracher une troisième. Dent pour dent. Trois. Jamais deux sans trois. Je suis allongée dans le bloc, j'attends. Imaginez un lieu agréable, me dit l'infirmière qui m'injecte les produits de l'anesthésie générale. Cela me fait rire, et mon rire provoque un sourire sur le visage de l'infirmière. Je me dis qu'il n'y a pas d'issue au-dehors. C'est moi qui ai marché tel un fauve sur l'échine du monde ; c'est lui que j'ai trouvé. C'est moi qui traverse ces épreuves médicales parce qu'il y a eu un « nous ». C'est moi et lui et personne d'autre à cet instant. Je ferme les yeux. Les arbres apparaissent, le volcan au loin. La barque flotte en silence sur le fleuve sous la couverture du feuillage. C'est l'été et il neige, il neige et c'est un miracle.

*

Je vois toujours flou au réveil de l'anesthésie, je ne m'y habitue pas. Il y a ce sentiment d'étrangeté qui me saisit chaque fois, c'est un peu comme revenir d'un long voyage et retrouver sa maison mais ne plus s'y sentir vraiment chez soi. J'essaie de me réapproprier ce corps dont je me suis absentée plusieurs heures durant. Suis-je vraiment allée là-bas ? Le souvenir de mon rêve est si réel. J'ai flotté, senti, marché, goûté. J'ai parlé avec celui que je ne suis pas censée comprendre. Je lui ai dit qu'on pourrait faire la paix. Ma vision se précise : je suis bien de retour dans cette salle jaunâtre sans odeur. Enfin si, avec une odeur d'alcool. Ou de médicament. J'ai la nausée. Je suis toujours vivante. Je touche doucement mon visage, ma gorge. Quelque chose manque. Sur mon cou à gauche, depuis l'échec de la première opération française, il y avait un ganglion. Un ganglion gagnant en volume parce qu'il réagissait au microbe nosocomial qui avait élu domicile sur la plaque en titane, très propre, implantée dans ma mâchoire. Je viens de réintégrer la chambre d'hôpital après la salle de réveil et je m'inquiète. Je demande aux internes ce qu'il en est. Ils devaient prélever un fragment du ganglion pour le faire analyser. Ce n'est pas ce qui s'est passé : emportés dans leur élan, et pour ne pas s'arrêter à un « détail », ils ont tout simplement décidé de l'enlever. L'ablation, c'était plus simple, ils me disent. De la peau, mes cheveux, trois dents, un bout d'os, et désormais un ganglion. La liste de mes parties perdues dans la bataille augmente.

*

Je suis de nouveau seule dans la chambre, j'ai mal. J'ai vomi du sang il y a quelques heures. Je suis sans conteste à 9,9 sur l'échelle et ça se voit, la morphine me sauve de la prostration. Les lumières principales s'éteignent, une douce chaleur court sous mon épiderme alors que la douleur s'apaise, je m'installe confortablement. J'ouvre mon cahier noir, je griffonne jusqu'au lever du jour. Cette nuit-là, j'écris qu'il faut croire aux fauves, à leurs silences, à leur retenue ; croire au qui-vive, aux murs blancs et nus, aux draps jaunes de cette chambre d'hôpital ; croire au retrait qui travaille le corps et l'âme dans un non-lieu qui a pour lui sa neutralité et son indifférence, sa transversalité. L'informe se précise, se dessine, se redéfinit tranquillement, brutalement. Désinnerver réinnerver mélanger fusionner greffer. Mon corps après l'ours après ses griffes, mon corps dans le sang et sans la mort, mon corps plein de vie, de fils et de mains, mon corps en forme de monde ouvert où se rencontrent des êtres multiples, mon corps qui se répare avec eux, sans eux ; mon corps est une révolution.

À la fin de la nuit cela m'apparaît très clairement : je veux remercier ses mains à elle, ses mains de femme qui ne savaient pas, qui ne s'attendaient pas, elles non plus, à faire face aux brèches ouvertes par la bête de l'autre monde. Ses mains qui enlèvent, qui nettoient, qui rajoutent, qui referment. Ses mains citadines qui cherchent des solutions aux problèmes de fauves. Ses mains qui composent avec le souvenir d'un ours dans ma bouche, qui participent à l'altération de mon corps déjà hybride. Je me dis cette nuit qu'il faut leur faire une place pour guérir, une place aux côtés de tous ceux qui rôdent encore en hyperborée, une place aux côtés de tous les acrobates, chasseurs et rêveurs qui me sont chers. Je dois trouver la position d'équilibre qui autorise la cohabitation d'éléments de monde divergents, déposés dans le fond de mon corps sans négociation. Tout a déjà eu lieu : mon corps est devenu un point de convergence. C'est cette vérité iconoclaste qu'il faut intégrer et digérer. Il me faut désamorcer l'animosité des fragments de mondes entre eux et à l'intérieur pour ne considérer ici que leur alchimie future. Et pour parachever cette opération de corps et d'esprit, il faut dès à présent refermer les frontières immunitaires, recoudre les ouvertures, les résorber, c'est-à-dire décider de clore. Il faut cicatriser. Clore, c'est accepter que tout ce qui a été déposé en moi en fait désormais partie, mais que dorénavant on n'entre plus. Je me dis : dedans, ça doit vraiment ressembler à l'arche de Noé. Je ferme les yeux. L'eau monte les quais sont inondés il faut lever l'ancre fermer les écoutilles nous avons tous ceux qu'il nous faut pour affronter l'océan adieu partons naviguer.

*

Ce matin la chirurgienne entre, avenante. Blouse blanche, chaussures vertes. Ses beaux cheveux roux sont ramassés dans son dos. Comment vous sentez-vous ? Et les échanges classiques qui suivent. Oui l'opération s'est bien passée, ça va aller maintenant, oui j'ai confiance. Je lui dis qu'elle fait un sacré métier, et que j'ai beaucoup pensé à elle cette nuit. Sourire gêné. C'est quand même quelque chose, ce qui vous est arrivé, elle me dit. Il y en a d'autres qui survivent, ou vous êtes la seule ? C'est comme pour les femmes dans votre cas je lui réponds, il y en a, mais peu.

J'ai compris quelque chose d'important aujourd'hui. Guérir de ce combat n'est pas seulement un geste de métamorphose autocentrée. C'est un geste politique. Mon corps est devenu un territoire où des chirurgiennes occidentales dialoguent avec des ours sibériens. Ou plutôt, tentent d'établir un dialogue. Les relations qui se tissent au sein de ce petit pays qu'est devenu mon corps sont fragiles, délicates. C'est un pays volcanique, tout peut basculer à chaque instant. Notre travail, à elle, à moi, et à ce quelque chose d'indéfinissable que l'ours a déposé au fond de mon corps, consiste désormais à « maintenir la communication ».

Je dis que rester en vie face à l'ours comme face à « ce qui vient » dans ce monde-ci, c'est accepter la reprise en forme de transformation structurelle. L'unicité qui nous fascine apparaît enfin pour ce qu'elle est, un leurre. La forme se reconstruit selon un schéma qui lui est propre mais avec des éléments qui sont, eux, tous exogènes.

*

Deux semaines ont passé, les résultats sont satisfaisants, on m'a libérée. Je suis dans le train, il est dix-huit heures, je file vers les Alpes. Je pense à ma mère qui m'attend, aux draps du lit qui sentent la lavande, aux petits plats moulinés qu'elle prépare déjà, à ses mains dans mes cheveux qui repoussent. Le téléphone sonne. Je me tourne vers la fenêtre et réponds doucement. C'est la voix de l'interne, affolé : il faut absolument que vous rentriez à Paris. Surtout, ne parlez à personne et ne vous approchez pas des gens. Le ganglion vient de révéler quelque chose. Je ferme les yeux, une chape de plomb se dépose sur mon crâne. Il n'avait rien donné pendant quinze jours, ce ganglion retiré de force. Pourquoi faut-il qu'il se manifeste justement maintenant, alors qu'enfin je sors des murs sans m'échapper, que j'envisage la perspective d'une vraie convalescence sans complication ? Quel besoin a-t-il de resurgir inopinément de sa chambre noire de culture pour me saisir au vol ? Pire, pourquoi suis-je en train de percevoir une forme de jouissance malsaine chez cet interne, alors qu'il s'applique à exercer son pouvoir de jeune médecin détenant la vérité sur sa patiente, qui quant à elle n'est pas en mesure d'éprouver la réalité de son corps ? Je sens la colère monter en moi. Ou l'abattement, je ne sais pas. L'interne est hors de lui, il crie dans le combiné du téléphone. Je vous dis de sortir à la première gare et de prendre le train dans l'autre sens, m'ordonne-t-il. Nous avons de fortes présomptions de tuberculose.

La tuberculose ? Moi ? Non je ne crois pas, je ne sens pas, je lui réponds. Si madame, je sais que c'est dur à entendre mais c'est comme ça, vous devez revenir d'urgence. Je raccroche. Comme chaque fois que je me sens désemparée et que je ne sais plus quoi faire, j'appelle ma mère. Qui me dit de ne rien changer au plan, de revenir immédiatement à la maison. Et non, nous ne porterons pas de masques, non, nous ne t'isolerons pas, car non, tu n'as pas la tuberculose. Ma mère est une femme exceptionnelle. Ma mère étudie l'alignement des planètes. Ma mère m'interdit de retourner à Paris, et même de continuer à répondre à cet interne hystérique m'enjoignant de quitter la maison pour éviter de contaminer mon entourage. Ma mère me fait à manger. Ma mère me dit qu'elle m'aime.

En fin de soirée, mon téléphone s'arrête brusquement de vibrer. Nous sommes le 13 novembre. Le lendemain, toujours cet étrange silence qui tranche avec la folie du jour d'avant. J'allume la radio, j'apprends. Que les attentats viennent d'avoir lieu, que la France est en deuil. Que la Salpêtrière est débordée, *a fortiori* le service maxillo-facial. Ironie des contingences ; *kairos*. L'horreur du massacre me sort, moi, des griffes des médecins qui m'oublient. Je suis livrée à moi-même et à ma mère. Je respire.

*

Je passe mes journées à lire et à regarder par la fenêtre en attendant la nuit, sa protection, ses rêves, ses visions, la possibilité d'un voyage. Je ne parle pas beaucoup. Je veux pouvoir jouir de l'insularité, la reconstruire dans mon corps tout en admettant l'incommensurabilité des êtres qui peuplent mon île intérieure. Je me dis que ce n'est pas : dépeupler notre âme pour jouir du peu d'insularité qu'elle recèle encore ; c'est : faire de notre être ce lieu cet écosystème où ceux que l'on a choisis – ou qui nous ont choisi – deviennent, par-delà les gouffres qui les séparent, commensurables. La neige tombe dehors, je suis le chasseur qui tient le poisson entre ses bras. La neige se pose sur les branches des arbres, je suis le poisson blotti dans les bras du chasseur. La neige recouvre tout, je suis le poisson qui replonge et se transforme en oiseau multicolore sous la surface froide et sombre de la rivière.

Cette nuit, pour la première fois depuis très longtemps, je vois Dacho. Nous sommes en Alaska à Fort Yukon, dans la cabane où j'ai vécu lors de mon premier terrain d'ethnographie. Je pleure. Je lui dis que c'est dur, les cicatrices. Regarde-moi, demande-t-il. Je lève les yeux vers son visage. Je le scrute et j'y découvre de fines traces, des cicatrices que je n'avais jamais remarquées. Il pose ses mains sur mes épaules, il me dit de me calmer. Les larmes s'arrêtent de couler. Souviens-toi, murmure-t-il. La scène change. Nous sommes projetés en haut d'une falaise qui surplombe la taïga. C'est un lieu étrange, qui ressemble aux montagnes des Hautes-Alpes où je vis actuellement, aux Yukon Flats en Alaska et à l'Icha au Kamtchatka. Nous restons là en silence, à écouter les sons qui montent de la forêt en contrebas. Puis il dit : Tu as toujours été faite pour cette terre. Silence. Il ferme les yeux et ouvre la bouche, un long rugissement retentit, qui résonne encore et encore en se propageant dans l'espace.

*

Je suis allongée sur le lit, je viens de raccrocher. J'ai parlé à ma thérapeute, Liliane. Je la connais depuis longtemps, c'est elle qui m'a aidée lorsque mon père est mort il y a quatorze ans. J'essaie de réfléchir à ce qu'elle vient de me dire. L'ours matérialise une limite. L'événement « ours » et ses suites me demandent de me départir une bonne fois pour toutes de la violence avec laquelle je suis au monde. Je reprends : dans la rencontre entre l'ours et moi, dans sa mâchoire contre ma mâchoire, il y a une violence inouïe, qui exprime celle que je porte en moi. Si je déroule le fil de sa pensée, je suis allée chercher à l'extérieur quelque chose qui est en moi, l'ours est un miroir, l'ours est l'expression d'autre chose que lui-même, qui me concerne, moi. Je me retourne sur le dos, je fixe les gouttes qui dégoulinent sur le velux. Je suis agacée. Pire que ça, énervée. C'est intelligent, comme raisonnement. Le mot qui me vient à l'esprit : *clever*. Mais quelque chose cloche, quelque chose d'essentiel, que je n'arrive pas à saisir totalement pour l'instant. Je marmonne en écoutant la pluie. Je hais ce sentiment de renoncement qui affleure. Que s'est-il passé ici, pour que les autres êtres soient réduits à ne refléter que nos propres états d'âme ? Que fait-on de leurs vies à eux, de leurs trajectoires dans le monde, de leurs choix ? Pourquoi dans cette affaire et pour démêler les fils du sens faudrait-il que je rapporte tout à moi-même, à mes actes, à mon désir, à ma pulsion de mort ? Parce que ce qui est au fond du corps de l'autre te sera à jamais inaccessible, m'aurait répondu Liliane à coup sûr. *A fortiori* au fond du corps d'un ours. C'est vrai, et ça me mine. Qui peut dire ce qu'il porte en lui, ce qu'il sent, qui peut élaborer autour des raisons le poussant à se mouvoir, en dehors d'une explication fonctionnaliste de base ? Il y a des choses que je ne saurais jamais, c'est une évidence. Ce qui ne veut pas dire qu'il faille renoncer, renoncer à l'exigence de comprendre plus loin.

Mon autre problème aujourd'hui, c'est la symbolique : elle me rattrape même lorsque je la rejette, elle me fatigue profondément. En réfléchissant à l'ours depuis là où je me trouve, dans cette chambre chez ma mère en France, je n'échappe pas au jeu des analogies. Je me demande immanquablement à quoi la figure « ours » peut bien correspondre ici en Occident (j'ai déjà mon idée sur le versant animiste de la question), à quoi elle peut bien renvoyer. Je dresse des listes pour passer le temps ; ces listes me font rire tout en me déprimant.

La force. Le courage. La tempérance. Les cycles cosmiques et terrestres. L'animal favori d'Artémis. Le sauvage. La tanière. Le recul. La réflexivité. Le refuge. L'amour. La territorialité. La puissance. La maternité.

L'autorité. Le pouvoir. La protection. Et la liste s'allonge. Me voilà dans de beaux draps.

Si l'ours est un reflet de moi-même, quelle expression symbolique de cette figure suis-je en train d'explorer le plus assidûment ? S'il n'y avait pas eu son regard jaune dans mon regard bleu, peut-être aurais-je pu me satisfaire de ces correspondances. Quoique je préférerais employer le terme *résonance*. Mais il y a eu nos corps entremêlés, il y a eu cet incompréhensible *nous*, ce *nous* dont je sens confusément qu'il vient de loin, d'un avant situé bien en deçà de nos existences limitées. Je retourne ces questions dans ma tête. Pourquoi nous sommes-nous choisis ? Qu'ai-je réellement en commun avec le fauve et depuis quand ? La vérité sur moi, c'est que je n'ai jamais cherché à pacifier ma vie, et encore moins mes rencontres. En cela ma thérapeute a raison, je ne suis pas en paix. J'ignore même ce que signifie ce mot. Je travaille depuis des années dans un Grand Nord bouleversé par des mutations profondes. Je sais faire avec les métamorphoses, l'explosion, le *kairos*, l'événement. Je trouve quoi dire, parce que la situation de crise me paraît toujours bonne à penser ; parce qu'elle recèle la possibilité d'une autre vie, d'un autre monde. Par contre, je n'ai jamais su faire avec l'apaisement ni la stabilité ; le calme n'est pas mon fort. Je me dis que sans me l'avouer j'ai dû chercher sur la plaine d'altitude celui qui révélerait enfin la guerrière en moi ; que c'est sûrement pour cette raison que lorsqu'il m'a coupé la route je ne l'ai pas fui. Au contraire j'ai plongé dans la bataille comme une furie, et nous avons marqué nos corps du signe de l'autre. Je me l'explique difficilement, mais je sais que cette rencontre a été préparée. J'ai de longue date posé tous les jalons nécessaires pour me mener dans la gueule de l'ours, vers son baiser. Je me dis : qui sait, peut-être que lui aussi.

Je crois qu'enfants nous héritons des territoires qu'il nous faudra conquérir tout au long de notre vie. Petite, je voulais vivre parce qu'il y avait les fauves, les chevaux et l'appel de la forêt ; les grandes étendues, les hautes montagnes et la mer déchaînée ; les acrobates, les funambules et les conteurs d'histoires. L'antivie se résumait à la salle de classe, aux mathématiques et à la ville. Heureusement, à l'aube de l'âge adulte, j'ai rencontré l'anthropologie. Cette discipline a constitué pour moi une porte de sortie et la possibilité d'un avenir, un espace où m'exprimer dans ce monde, un espace où devenir moi-même. Je n'ai simplement pas mesuré la portée de ce choix, et encore moins les implications qu'allait entraîner mon travail sur l'animisme. À mon insu, chacune des phrases que j'ai écrites sur les relations entre humains et non-humains en Alaska m'a préparée à cette rencontre avec l'ours, l'a, en quelque sorte, préfigurée.

Las, je me sens incapable d'aller plus loin pour l'heure. L'eau dégouline toujours sur le velux et je dois me résoudre à attendre. Je me dis que rien ne se dévoile jamais d'un geste. Ou plutôt : qu'après les instants de fulgurance de la presque-mort et l'impression de clarté et d'évidence qui s'est imposée à moi, un voile s'est de nouveau déposé sur les événements et sur le reste de ma vie.

*

Je n'ai pas la tuberculose. Les analyses sont formelles, et les médecins du service infectieux de Grenoble contestent le diagnostic de leurs collègues parisiens. Ils appellent à plusieurs reprises la Salpêtrière mais, comble de l'absurdité, le ganglion mis en culture a disparu, personne n'arrive à remettre la main dessus ! Je me prête à une batterie d'analyses complémentaires, toujours rien. Pas l'ombre d'un microbe. J'ai repoussé les envahisseurs. À moins que les envahisseurs n'aient été fictifs, fantasmés par des médecins scrupuleux mais empêtrés dans un *tragos* mortifère. Je penche pour la seconde option, mais je ne saurai jamais le fin mot de l'histoire.

Nous sommes en décembre, je dois remonter à Paris pour mon rendez-vous postopératoire avec la chirurgienne. Salle d'attente bondée, tickets numérotés, sièges verts, lino vert, odeur d'hôpital, envie de vomir qui saisit le cœur, estomac serré qui retourne les tripes. J'entre enfin dans son bureau. Elle m'attend, blouse blanche, chaussures vertes, cheveux roux noués. Tout va bien, me dit-elle en m'auscultant, pas de suintement, pas d'infection, et la radio montre que la greffe a pris, mon os mandibulaire repousse. D'ici quelques mois, vous pourrez à nouveau mâcher et manger solide. Dans quelques semaines, nous ferons un rendez-vous complémentaire. Ça, je ne crois pas non, je pense tout bas. Dans quelques semaines, je ne serai plus là.

*

Je marche dans les rues du XVIIIe, un gros foulard enroulé autour du cou et du visage pour protéger mes cicatrices. Il bruine et il vente, il fait ce froid parisien humide et glaçant qui s'insinue jusque sous la peau. J'arrive rue de Ponthieu, j'avise le bâtiment de VHS Russie. VHS pour *Visa Handling Service*. J'entre et j'attends, encore. Je retourne dans ma tête la probabilité que mon plan réussisse. Dans la chambre à l'hôpital de Petropavlovsk, je me revois observer en douce la fiche que l'agent du FSB est en train de remplir avec un air consciencieux. Je me souviens très nettement de le voir noter *Marten* au lieu de *Martin*, *Nastasia* au lieu de *Nastassja*. C'est bien, le cyrillique et sa phonétique, je m'étais dit. C'est pratique, qu'il m'ait fichée sous un autre nom. Mais est-ce que cela va suffire ? Pourvu que ça marche, je répète mentalement comme une prière silencieuse.

On appelle mon numéro, je me présente au guichet. Tous les documents sont conformes, tampon, paiement, RAS, j'obtiens le visa.

*

De grosses larmes roulent sur les joues de me mère. Je suis revenue de Paris hier, nous sommes à table, il est midi. Je ne sais pas comment lui annoncer autrement que d'une façon brutale ; la délicatesse n'a pas toujours été mon fort. Je vais repartir là-bas. Quand ? Dans deux semaines. Je suis hors infection, les radiographies sont bonnes et ne prêtent pas à confusion : je peux partir. Je continue en lui disant que vivre chez moi m'est pour l'instant insupportable, que le regard de mes amis sur mon visage est insoutenable, et que la pitié que je décèle dans leurs yeux ne m'aide pas à voir plus loin que l'immédiatement donné à voir. Je dois m'écarter pour guérir. Être à l'abri des gens. Des médecins. Des prescriptions et des diagnostics. Loin des antibiotiques. Encore plus loin de la lumière électrique. Je veux du sombre, une grotte, un refuge, je veux des bougies, la nuit, des lumières douces et tamisées, du froid dehors, du chaud dedans et des peaux d'animaux pour calfeutrer les murs. Maman, je dois redevenir *matukha* qui descend dans sa tanière pour passer l'hiver et reprendre ses forces vitales. Et puis, il y a des mystères que je n'ai pas fini de comprendre. J'ai besoin de retourner auprès de ceux qui connaissent les problèmes d'ours ; qui leur parlent encore dans leurs rêves ; qui savent que rien n'arrive par hasard et que les trajectoires de vie se croisent toujours pour des raisons bien précises.

Ma mère pleure mais sait, au fond, que c'est ma seule issue. Plus tard, la plupart de ses amies feront vaciller sa foi en lui resservant cette histoire de limites. J'ai rencontré l'ours parce que je n'ai pas su mettre de limites entre moi et l'extérieur ; je n'ai pas su mettre de limites parce que ma mère n'a jamais été capable de m'en mettre. Tu aurais dû être autoritaire pour une fois et dire non à ta fille. Tu devrais la cadrer. La raisonner. L'arrêter. La borner. Pauvre maman, pauvres amies. En vrai, je n'ai jamais aimé les normes ni le concordat et encore moins la bienséance. Mais petite mère, cette fois, je pars pour que tu comprennes qu'entre moi et l'ours il y a autre chose qu'une histoire de frontière mal placée et de violence projetée. Ma mère tient bon, elle ne flanche pas ; ma mère réalise que sa fille est liée à une forêt et qu'elle va devoir y replonger pour finir de se guérir à l'intérieur.

Heureusement il y a Marielle. Froide, distante, juste. Marielle fait du droit et ce n'est pas pour rien. Marielle est notre plus grande amie, à ma mère et à moi. C'est étrange, elle qui ne sort pas des villes, belle femme apprêtée, nette, coiffée, maniérée parfois. C'est étrange mais je crois qu'elle comprend mes problèmes de fauve. Quand elle apprend la nouvelle de mon départ, elle parle à ma mère, lui parle dans son langage à elle, celui des astres et des mythes, celui des résonances et des correspondances. Elle lui rappelle Artémis et la forêt sans laquelle elle se désagrégerait. Elle évoque Perséphone, qui descend dans l'obscur pour mieux remonter vers la lumière. Elle lui parle du mouvement et de la dualité. De la métamorphose. Du masque. De la refiguration après la défiguration. Du printemps après l'hiver. Marielle me fait même pleurer une fois, parce qu'en touchant mes cicatrices rouges elle dit que j'incarne désormais la déesse des bois.

*

Décembre. Je suis rentrée chez moi dans les montagnes en attendant de partir. Il neige, je regarde par la fenêtre la Meije qui s'estompe doucement dans le brouillard. Je fais disparaître de mon esprit les yeux d'un ami qui ce matin en me croisant au garage ne m'a pas reconnue. Ma pauvre, il a juste dit. C'est pas si grave j'ai répondu, avant de m'engouffrer dans la voiture de mon voisin paysan venu me chercher. Il m'a dit d'oublier ça quand il a vu mes larmes couler, m'a offert une bière en arrivant à la maison.

Je passe quelque temps à lire, j'essaie d'écrire mais je n'y arrive pas. Je sors mes carnets de terrain et le cahier noir. Je l'ouvre, parcours les pages. Soudain je m'arrête, abasourdie. Je viens de tomber sur un fragment écrit avant mon départ pour le Kamtchatka il y a un an exactement. Le temps se suspend. Y a-t-il une limite à la parole performative ?

30 décembre 2014

À la veille du basculement dans l'autre année l'autre vie l'autre moi l'autre tout court
Je tremble de peur
L'ombre est épaisse je suis aveuglée par la nuit
Prisonnière de mon corps immobile le genou rivé en terre la tête ployée vers le sol
J'attends
Que la bête à l'intérieur se redresse et reprenne ses droits
Qu'elle se saisisse de sa puissance
Les jours grandissent la tanière se fait étroite
L'heure de sortir au grand jour est proche
Des griffes qui s'enfonceront de nouveau dans la poussière naîtra un volcan
Et lorsqu'il s'animera
C'est la terre qui tremblera.

Les flocons tournoient dans le ciel blanc. Je pense à ce que ça va bien pouvoir être, la suite. Quatre mois ; et la forêt qui attend. La beauté de cette chose qui est arrivée, qui m'est arrivée, c'est que je sais tout sans ne plus rien savoir. Vais-je sentir les pattes d'oiseaux qui rebondissent sur la terre ? Le bruissement de leurs ailes au loin, la texture de leurs respirations ?

Quelque chose arrive
Quelque chose vient
Quelque chose fond sur moi
Je n'ai pas peur

Printemps

Nous sommes le 2 janvier. Les roues de l'avion crissent au contact du sol gelé. Je descends sur le tarmac avec les autres passagers, il fait moins trente. Yulia et les enfants m'attendent derrière le portail. Yulia ne vit pas en forêt avec sa famille, elle n'y est que quatre mois par an, l'été. Il y a dix ans elle s'est mariée à Yaroslav, un militaire russe d'ascendance ukrainienne. Depuis, elle habite avec lui et ses enfants à Vielouchinski, la plus grosse base navale du Kamtchatka, située au sud de Petropavlovsk. Vielouchinski est interdite aux civils russes sans autorisations spéciales ; elle est interdite aux étrangers tout court, avec ou sans autorisations. Mais Yulia est mon amie, ma sœur, ma Yulieta, et surtout la seule personne avec qui j'ai envie d'être dans cette ville chaotique. À n'importe quel hôtel miteux bon marché, ou bien très cher mais faussement luxueux, façade et décor en carton-pâte, je préfère mille fois suivre mon amie dans sa prison à elle, au-delà du fjord sous le volcan.

Nous parcourons les quarante premiers kilomètres qui nous séparent de la base, je distingue déjà les bâtiments le long de la mer, adossés au volcan. Le poste de contrôle n'est plus très loin : nous arrêtons le véhicule dans un renfoncement de la route avant de l'atteindre. Nous sortons les bidons d'eau et les couvertures du coffre. Je m'allonge par terre entre la banquette arrière et les sièges avant, de côté et en long. Yulia et Yaroslav me recouvrent avec les couvertures et disposent pêle-mêle les bidons par-dessus. Je suis invisible. Je passe cinq minutes très éprouvantes, mais après tout ce qui m'est arrivé depuis quelques mois, j'ai presque l'impression de faire une promenade de santé. Ou en tout cas de régler une formalité. J'entends la voix du soldat, puis celle du mari de Yulia qui répond. J'entends ses bottes de cuir, noires j'imagine, claquer sur l'asphalte. Le coffre s'ouvre, il vérifie le chargement. Tout est en ordre. *Khorocho, do svidania*. Nous repartons. L'impression d'entrer dans la gueule du loup ; d'un autre type de loup, plus coriace que le canidé sauvage s'il vous attrape. Le point positif, c'est que personne ne pourra me trouver ici je me dis. Au milieu des sous-marins rescapés de la guerre froide et des militaires en uniforme, évidemment, je suis bien cachée. C'est toute la tactique que nous avons imaginée avec Yulia, en jeunes femmes récalcitrantes que nous sommes : se cacher juste là d'où vient la menace, dans la chambre à coucher de l'ennemi. Tu vas jusqu'à le sentir en toi, tu l'éprouves, tu es contenue par lui et tu le contiens ; si tu es assez forte, tu l'apprivoises, tu le domptes ; et un jour, quand tu as bien compris sa logique, tu te libères.

J'ai sorti la tête hors du tas de couvertures, les bidons se sont éparpillés partout. Nous rions à gorge déployée. Même Yaroslav ne peut s'empêcher de pouffer. Avoir transgressé l'ordre établi nous rapproche. Yaroslav se retourne, plante ses yeux bleus dans les miens. Merde, toi la femme française, tu as fait fuir un ours. Si nous on ne peut pas duper un soldat, qu'est-ce qui nous reste ? Le concert de nos rires fait tressauter la voiture. Puis Yulia, essuyant les larmes de liesse sous ses yeux, pose un doigt sur ses lèvres en reprenant un air sérieux. N'oublie pas, Nastia. En public, pas un mot. Dans les magasins, tu n'ouvres pas la bouche. On pourrait reconnaître ton accent français. Si tu ne dis rien, personne ne se doutera que tu n'es pas russe.

Tais-toi. Tu es toi. Tuer toi. Pourquoi pas. Tout est permis, lorsqu'on renaît de ses cendres.

*

Par la fenêtre on distingue le port militaire avec les sous-marins en réfection ; les militaires qui s'affairent entre les machines rouillées partout autour. Le bras de mer est complètement gelé. L'air est glacial, des particules de givre brillent dans la lumière hivernale, rose au-dessus de la mer, violette sur le volcan en face. Dans la maison il fait très chaud. Si chaud qu'on est obligé d'entrouvrir la fenêtre pour respirer. On ne peut pas régler la température. C'est comme ça, Nastia, les villes russes en hiver, me dit Yulia.

L'appartement se résume en deux pièces et une cuisine. Une tapisserie défraîchie marron à fleurs rouges. Une baignoire à sabot dans la petite salle de bains. Des traces d'humidité qui tachent les cloisons de haut en bas. Les fils électriques apparents. Des fissures qui lézardent les murs et le plafond. La cuisine, minuscule, constitue le centre de ce monde. On y trouve une petite table avec une nappe en plastique beige, à fleurs aussi, quatre tabourets, une gazinière, un évier, et une petite fenêtre donnant sur l'arrière de l'immeuble, d'où on peut voir un tas de neige de plusieurs mètres de haut. Nous restons là une bonne partie de la nuit avec Yulia, à nous raconter des histoires de femmes et à parler politique. Nous buvons de la vodka tranquillement mais sûrement, un petit verre chaque heure. Elle me montre les photos de la forêt. Là, maman qui prépare le poisson ; ici, Ivan qui pêche ; là, Volodia qui s'occupe des chevaux. Ah, et ici, c'est toi et maman qui prenez le thé il y a deux ans, tu te souviens ? Oui, bien sûr que je me souviens ma Yulia, me souvenir est mon métier. À un certain stade de la nuit lorsque nous avons épuisé nos mots et la bouteille, je vais me coucher dans le lit à côté de Vassilina, sa fille. Elle aime bien qu'on dorme ensemble, et moi aussi. Au réveil on reste longtemps sous les draps, à chuchoter. Elle touche mes cheveux courts, ça la fait rire, c'est différent elle dit, mais c'est drôle. Elle se met à me parler de la forêt, de Tvaïan. Elle se demande ce qu'ils font en ce moment. Voyons, il est dix heures du matin. Peut-être que babouchka cuisine. Peut-être qu'Ivan revient de la chasse. Ou alors peut-être qu'ils sont allés chercher du bois. Peut-être, sûrement.

Plus tard dans la journée Vassilina dessine. Elle dessine des arbres, la rivière, des renards, la maison de Tvaïan, des poissons. Elle trace le contour des absents, les colorie, inlassablement. J'aime ça, dessiner, parce que comme ça je m'échappe d'ici, elle m'explique. Papa dit qu'il faut pas trop rêver. Tu en penses quoi toi ? Je réfléchis. Je crois qu'il ne faut pas fuir l'inaccompli qui gît au fond de nous, qu'il faut s'y confronter. Je ne sais pas comment traduire ça avec des mots simples, alors je dis : Vassilina, si grandir c'est voir mourir ses rêves, alors grandir devient mourir. Mieux vaut snober les adultes, lorsqu'ils nous font croire que les cases sont déjà là, prêtes à être remplies.

*

Je suis partie ce matin. C'est un ami de Yaroslav qui conduit, bien trop vite à mon goût, un 4 × 4 vert et rouillé. Je n'aime pas ce dénommé Kolia. Il a un visage flasque et rouge, sur son front perlent des gouttes de sueur. Je n'ai pas eu le choix : c'est la seule personne dans l'entourage de Yulia et Yaroslav qui ait pu se libérer aussi vite, acceptant de m'amener aux portes de la forêt à plus de huit cents kilomètres d'ici pour une modique somme d'argent négociée à la hâte. Nous faisons halte à Milkovo pour nous ravitailler en eau, essence et nourriture, il fait déjà nuit. Enfilade de blocs de béton fissurés. Gagarine sur une façade, CCCP, l'étoile, la faucille, le marteau : rien de tout cela n'est loin. À Milkovo comme partout dans le Grand Est, ce passé, c'est tout juste hier. Dans le magasin, je remonte le tour de cou en polaire au plus haut sur mon visage mais j'échoue à cacher le renflement de ma joue droite. La caissière me dévisage : T'as mal aux dents ? Ouais, c'est ça. J'ai mal aux dents. Tenir. Nous nous engouffrons à nouveau à l'intérieur de l'habitacle.

Le 4 × 4 cahote sur la piste gelée. Huit heures que nous bringuebalons dans le froid glacial. Une lumière au bout de la route : Sanouch', enfin. Je distingue des phares allumés, une motoneige est stationnée en bord de piste. Soulagement. Je m'extirpe du siège, j'ai mal au visage, au crâne, partout. Je le vois, il m'attend dans la nuit. Ivan. Je m'effondre dans ses bras, j'arrive à peine à retenir mes larmes, je voudrais tout lui dire tout de suite, à quel point ça a été dur, comment j'ai failli mourir là-bas, combien je me suis sentie seule avec mes traces d'ours sur le corps. Mais je me tais, parce qu'ils nous regardent. Les deux Russes du poste de contrôle de Sanouch'. Les gardiens de la mine. Ils nous observent intensément en fumant depuis la porte de leur baraquement. Ils ne comprennent manifestement pas ce qu'ils voient. Deux étrangers que tout semble séparer, qui s'embrassent comme les membres d'une même famille.

Je dois me préparer pour faire face au froid qui nous attend sur le trajet. Je m'approche de la guérite jaune du poste de contrôle et des deux types. Vu comme ça, on dirait un phare rassurant au milieu des terres gelées. Quelle belle illusion d'optique je me dis, depuis que l'ancien gardien Alexeï est parti, Sanouch' n'a plus rien d'un refuge ni d'une lumière accueillante au fond de la nuit. Sanouch' est un no man's land entre deux mondes. Sanouch', c'est le Styx et ses cerbères.

Je dis bonjour, ça va, je demande à entrer pour me changer au chaud. L'un des deux Russes du poste me reconnaît enfin. Nastia c'est toi ? Ben oui. Même regard pathétique. Une fois à l'intérieur, j'enlève mon bonnet, j'enfile une cagoule et par-dessus la chapka en peau de renne que Daria, la mère d'Ivan, m'a cousue. Ce type – je ne me souviens pas de son prénom parce que lui non plus je ne l'aime pas – avise mes cheveux courts et presque bruns. Il fume une cigarette en me détaillant du regard. Où sont passés tes beaux cheveux blonds ? Salaud. J'encaisse le coup. Quelle misère, il poursuit. Ouais, je réponds laconiquement. Il se met alors à déblatérer sur les indigènes qui vivent quelque part dans la forêt au-delà des montagnes, tellement pauvres et démunis qu'ils n'ont même pas de maison ni d'électricité, qu'ils s'abritent sûrement sous des racines ou dans des trous d'arbres, comme des bêtes, précise-t-il. Il manifeste sa répugnance à me voir retourner là-bas une fois de plus. Je ne l'écoute plus. Je finis de m'équiper en pensant au grand chien blanc nommé Shaman qui nous avait protégés de l'ours ici même il y a quelques années avec Charles, le grand chien blanc aux yeux si doux que cette brute a tué un soir de beuverie. Pauvre Shaman. Pauvre Alexeï. S'il savait, il serait fou de douleur. Fuir, vite, je me dis.

Une bourrasque de vent et de neige envahit la pièce alors qu'Ivan ouvre la porte, dépêche-toi, on a encore de la route et il est tard. Les deux hommes se toisent un instant sans un mot, le silence tombe sur Sanouch'. Je réunis mes affaires, salutations minimales, je suis dehors. Je m'installe sur les peaux du traîneau, j'enfile les moufles, agrippe les cordages. Le moteur gronde. La lumière blafarde disparaît derrière, le noir de la nuit s'épaissit. Nous pénétrons dans la forêt, je ferme les yeux, je laisse le froid m'engourdir, je respire.

Mes chaînes gisent devant la cabane de Sanouch' aux pieds des deux salauds, plus aucun lien n'entrave mes membres. Des larmes commencent à couler puis inondent mon visage et gèlent sur ma peau. L'impression de laisser le monde derrière moi ; une version du monde ; mon monde. Dans lequel je suis devenue inadéquate ; dans lequel j'échoue à me comprendre moi-même.

*

Il y a trois ans, Daria m'a raconté l'effondrement de l'Union soviétique. Elle m'a dit Nastia un jour la lumière s'est éteinte et les esprits sont revenus. Et nous sommes repartis en forêt. Sur mon traîneau dans la nuit glacée, je laisse ma pensée errer autour de la phrase. Chez moi la lumière ne s'est pas éteinte et les esprits ont fui. J'ai tellement envie d'éteindre la lumière. Moi aussi, cette nuit, je repars en forêt.

*

Il est minuit, nous arrivons à Manach', le premier camp de chasse de la famille évène avec laquelle j'ai vécu pendant toutes ces années. Les oncles d'Ivan nous attendent. Nous buvons le thé en silence. C'est bien, que tu sois restée en vie, dit finalement Artium. Faut pas lui en vouloir. Tu sais comme ils sont… Ils sont comme nous. Je sais je réponds. Je n'ai pas vraiment envie de parler, il sait, il sent, il se tait, il va dormir. Demain tu reviendras autre.

Au lever du jour, je regarde par la petite fenêtre de la cabane, je vois un Buran qui gît non loin de là entre les arbres, couleur orange plus que passée, moteur à l'air. C'est quoi ça ? je demande à Ivan en riant. C'est elle, il me répond, l'œil taquin. Notre monture jusqu'à Tvaïan. Celui d'hier est à Artium. Celui-là, c'est le mien. Ah. Et il marche ? Je suis dubitative. Il roule, bien sûr qu'il roule ! Nous empilons les vivres sur le traîneau, mon sac par-dessus, je m'installe. Ivan, comme d'habitude, voyage sans rien. Nous partons. Toute la journée, nous cheminons bruyamment entre les arbres, nous filons vers l'ouest, le volcan Itchinski s'éloigne dans notre dos, et avec lui les sources de la rivière Icha, qui traverse l'immense étendue de forêt où nous sommes pour aller se jeter dans la mer d'Okhotsk. Il y a une centaine de kilomètres à parcourir. Nous nous arrêtons pour dégourdir nos jambes, pour réchauffer nos pieds, et pour réparer le Buran qui tombe en panne ou surchauffe régulièrement. Ivan enlève ses moufles, plonge les mains dans le moteur, noue des cordes et des ficelles autour des pièces branlantes, remet ses moufles. Il rit. Tu vois, rien n'a vraiment changé ici. Le Buran c'est un peu comme un renne. Lui aussi tu le conduis avec des cordes ! Nous repartons. En plein vent la température avoisine les moins cinquante. Je pense à la cabane en bois sous la neige, au feu, à Daria qui attend. Tvaïan, c'est l'un des bouts du monde, pour de vrai.

*

Cela fait quelques jours que nous sommes arrivés à Tvaïan, je m'applique à ne rien faire, je voudrais même essayer d'arrêter de penser. Ce matin, je me dis qu'il faut surtout que je cesse de vouloir – comprendre guérir voir savoir prévoir tout de suite. Au fond des bois gelés, on ne « trouve » pas de réponses : on apprend d'abord à suspendre son raisonnement et à se laisser prendre par le rythme, celui de la vie qui s'organise pour rester vivants dans une forêt en hiver. J'essaie de trouver en moi un silence aussi profond que celui des grands arbres dehors qui se tiennent immobiles et verticaux dans le froid. J'ai fait demi-tour, volte-face. Je suis revenue sur mes pas comme les zibelines dans la neige lorsqu'elles dupent leur poursuivant. Je ne sais pas où je vais, peut-être nulle part, je suis dans une tanière et ça me suffit. Je prends la mesure de l'immensité autour et des minuscules gestes du quotidien à l'intérieur, expression d'une patience infinie, propre aux humains qui se tiennent au chaud en attendant l'explosion du printemps.

Chaque jour Daria hache de la viande de renne pour moi, extrait la moelle des os, me donne des lamelles de foie cru (pour la digestion) de cœur cru (pour la guérison) de poumon (pour la respiration). Elle m'a aussi servi un verre de sang chaud (pour la force) lorsque nous avons tué le renne. Je suis plus vulnérable que je ne l'ai jamais été entre ces murs, et c'est précisément pour cela qu'aujourd'hui je *vois*. La sobre beauté de leurs allées et venues journalières ; la nécessité du moindre de leurs mouvements ; la discrétion dont ils font preuve entre eux et à mon égard. Je me laisse enfin porter par cette logique de vie routinière ; j'ai l'impression de découdre un à un les pas qui m'ont menée dans la gueule d'un fauve.

*

L'enfant possède une chose que l'adulte cherche désespérément tout au long de son existence : un refuge. Ce sont les parois de l'utérus avec tous les nutriments affluant quotidiennement qu'il faut parfois arriver à reconstruire autour de soi. J'ai l'étrange impression que lorsque l'on échoue, le monde cherche à nous y remettre par un coup du sort, quelque chose du dehors nous rappelle à la vie intérieure en nous enfermant dans un huis clos *a priori* lugubre, mais en réalité salvateur. Quatre murs étroits, une petite porte et des contacts restreints – Hugo sur l'île dans la paroisse face à la mer compose ses vers ; Soljenitsyne dans les bois du Vermont se ressaisit de l'histoire russe ; Trotski dans ses prisons échappe à la mort et écrit ; Lowry dans sa cabane face à la mer rassemble le bruit du monde pourtant invisible d'où il se trouve. Que fais-je d'autre que ce qu'ils ont accompli, depuis ma forêt sous mon volcan au retour de la presque-mort qui m'a guettée ? Que fais-je d'autre qu'oser un pas de côté pour mieux voir, voir les signes qui pulsent en moi et qui annoncent l'Époque, ses contradictions, sa fureur, sa tragédie et son impossible reproduction ? J'ai vu le monde trop *alter* de la bête ; le monde trop humain des hôpitaux. J'ai perdu ma place, je cherche un entre-deux. Un lieu où me reconstituer. Ce retrait-là doit aider l'âme à se relever. Parce qu'il faudra bien les construire, ces ponts et portes entre les mondes ; parce que renoncer ne fera jamais partie de mon lexique intérieur.

*

Il est cinq heures du matin, j'entends Daria qui souffle sur les braises pour rallumer le feu. Je me lève de ma couche enroulée dans une couverture, j'enjambe les corps des garçons allongés sur les peaux par terre, je m'assieds sur le petit tabouret à côté d'elle face au poêle. Nous attendons en silence ; l'eau frémit enfin. Le thé brûlant réchauffe nos corps. Puis elle lève les yeux vers moi, elle sourit dans la pénombre, un sourire sobre et timide, un sourire plein d'amour. Elle chuchote : Parfois certains animaux font des cadeaux aux humains. Lorsqu'ils se sont bien comportés, lorsqu'ils ont bien écouté tout au long de leur vie, lorsqu'ils n'ont pas nourri trop de mauvaises pensées. Elle baisse les yeux, soupire doucement, relève la tête, sourit encore : Toi, tu es le cadeau que les ours nous ont fait en te laissant la vie sauve.

*

Je suis assise dans la neige au bord de la rivière Icha, je réfléchis aux mots de Daria. Je n'aime pas sentir ce que je sens, je voudrais jeter mon agacement à l'eau sous la glace. Je suis perplexe, parce que j'entends deux choses dans ce que Daria m'a dit. La première, qui m'émeut et me touche profondément, qui me rappelle aux raisons de ma présence à Tvaïan. La seconde, qui m'insupporte et me révolte, qui me donne envie de fuir une deuxième fois.

À propos de ce qui me touche. Il y a bien quelque chose d'autre ici, que ce à quoi nous, en Occident, accordons du crédit. Les personnes comme Daria savent qu'elles ne sont pas seules à vivre, sentir, penser, écouter dans la forêt, et que d'autres forces sont à l'œuvre autour d'elles. Il y a ici un vouloir extérieur aux hommes, une intention en dehors de l'humanité. Nous nous trouvons dans un environnement « socialisé en tout lieu parce que parcouru sans relâche », aurait dit mon ancien professeur Philippe Descola. Il a réhabilité le mot *animisme* pour qualifier et décrire ce type de monde ; moi et d'autres l'avons suivi corps et âme sur ce chemin. Dans la phrase « les ours nous font un cadeau », il y a l'idée qu'un dialogue avec les animaux est possible, quoiqu'il ne se manifeste que rarement sous une forme contrôlable ; il y a aussi l'évidence de vivre dans un monde où tous s'observent, s'écoutent, se souviennent, donnent et reprennent ; il y a encore l'attention quotidienne à d'autres vies que la nôtre ; il y a enfin la raison pour laquelle je suis devenue anthropologue.

Pourquoi tu veux vivre avec nous ? Daria m'avait demandé quelques jours après notre première rencontre. Pour ça, j'avais dit. Parce qu'il y a de très anciennes formes qui n'ont pas disparu, et parce qu'avec vous elles sont actualisées. Mais ce n'est pas tout, et c'est là que le bât blesse. À propos de ce qui me révolte, donc. Lorsque Daria dit que les ours, en me rendant saine et sauve au monde des humains, leur ont fait un cadeau, l'ours et moi devenons une fois de plus l'expression d'autre chose que nous-mêmes ; l'issue de notre rencontre parle aux absents, parle *des* absents. Je me creuse la tête en essayant de voir l'eau qui coule sous la glace, c'est difficile parce que la couche est épaisse. Je me dis : un ours et une femme, c'est trop gros comme événement. Trop gros pour ne pas être réassimilé illico dans un système de pensée ou un autre ; trop gros pour ne pas être instrumentalisé par un discours particulier ou en tout cas s'y intégrer. L'événement doit être transformé pour devenir acceptable, il doit à son tour être *mangé* puis *digéré* pour faire sens. Pourquoi ? Parce que *ça* est trop terrible à imaginer, parce que *ça* sort du cadre de l'entendement, de tous les cadres, même de ceux des chasseurs évènes au fond d'une forêt au Kamtchatka.

Puisque c'est ainsi, puisque je vais nécessairement être forcée dans le cadre des uns et des autres comme un triangle dans un rond ou un rond dans un carré, il faut que moi, pour ne pas devenir le carré ou le rond que je ne suis pas, j'arrive à suspendre mon jugement. Car c'est pour moi qu'il a surgi ; c'est pour lui que je suis apparue. C'est dur, de laisser flotter le sens. De se dire : je ne sais pas tout au sujet de cette rencontre ; je laisse les *desiderata* présumés du monde des ours de côté ; je fais de l'incertitude un cadeau. Ce qu'il faut, c'est donc réfléchir autour des lieux, êtres et événements protégés d'une ombre et entourés d'un vide, à la croisée de ces nœuds d'expérience que les schémas relationnels échouent à englober, ne parviennent pas à structurer.

Voilà notre situation actuelle, à l'ours et à moi. Être devenus un point focal dont tout le monde parle mais que personne ne saisit. C'est précisément pour cette raison que je ne cesse de trébucher sur des interprétations réductrices voire triviales, si aimantes soient-elles : parce que nous sommes face à un vide sémantique, à un hors-champ, qui concerne tous les collectifs et qui leur fait peur. D'où l'empressement des uns et des autres pour coller des étiquettes, pour définir, délimiter, donner une forme à l'événement. Ne pas laisser planer l'incertitude à son sujet, c'est le normaliser pour le faire entrer coûte que coûte dans le collectif humain. Et pourtant. L'ours et moi parlons de liminarité, et même si c'est terrifiant, personne n'y changera rien. Les branches craquent derrière moi, quelqu'un vient. Je décide : ils diront ce qu'ils veulent. Moi je vais séjourner dans ce no man's land.

Main sur mon épaule. Ça va ? Ça va. Ivan s'assied à côté de moi dans la neige, sort une cigarette, l'allume, t'en veux une ? Pourquoi pas. Nous fumons en silence. Tu pensais à quoi ? Je ferme les yeux, je n'arrive pas à aligner deux mots alors que je bouillonne depuis tout à l'heure. Et puis d'un coup, ça me tombe dessus. Je baisse la tête, me cache le visage dans les genoux, des larmes commencent à rouler sur mes joues, bientôt c'est un torrent qui s'écoule. Je sens mes os qui craquent, mes dents qui cassent, l'emprise de la mâchoire qui se desserre et, c'est insupportable, le goût du sang qui afflue dans la bouche. Arrrgggggg, je gémis entre deux sanglots. Ivan soupire, enroule son bras gauche autour de mes épaules, sort une autre cigarette de sa poche droite en se contorsionnant. Flamme, fumée. Tu le revois ? il demande. Ouais, tout. La scène, qui repasse en boucle. Pas agréable du tout. Je réponds. J'essuie mes larmes, je me dégage de son étreinte, le flash-back est en train de disparaître de derrière mes yeux, j'expire bruyamment. Viens, on va boire le thé, t'es gelée. Il jette sa cigarette sur la glace, me prend le bras pour m'aider à me relever, nous tournons le dos à la rivière, nous rentrons.

*

J'ai l'estomac plein de viande de renne, je me sens bien. Il fait une chaleur presque insupportable mais c'est toujours comme ça, le soir avant de dormir dans les cabanes en hiver, il faut charger le poêle pour la nuit. Je suis allongée dans le noir sur une peau de renne mais sans couvertures, les garçons sont à droite par terre sur d'autres peaux, Daria coud assise à côté de moi. Natacha et Vassia, sa fille et son gendre plus âgé qu'elle (il a soixante-dix ans), sont arrivés tout à l'heure, ils sont en train de préparer leur couche près du feu. *Polovaïa jizn*, aime à dire Ivan en riant pour évoquer la vie à même le sol.

Je repense à tout ce qui s'est passé plus tôt aujourd'hui,

les bruissements du coucher me bercent. Je stagne dans un demi-sommeil, et brusquement un voile se lève. Je rouvre les yeux. Je vois le fauve qui se met en travers de mon chemin ; il me voit lui barrer la route. Tout est dans ce regard échangé, qui préfigure ce qui va arriver. Vu comme ça, c'est presque évident. Je souris pour moi-même. Je peux bien nous accorder ça, je me dis. Le fauve mord la mâchoire pour rendre la parole. Sur cette dernière pensée le sommeil m'emporte.

Des chevaux galopent dans la neige. Ils sont nombreux, une centaine peut-être. Je suis seule au milieu de la toundra. Ils fondent sur moi, un nuage de neige s'élève, je suis aveuglée. Je ferme les yeux, je me prépare à l'impact. Cela n'arrive pas, je sens leur souffle passer à droite, à gauche, encore et encore, puis plus rien. Je me retourne. Le nuage blanc s'éloigne et disparaît.

J'ouvre les yeux. La respiration des garçons est constante, il fait encore nuit. Daria est allongée près de moi, elle m'observe, les yeux ouverts. Tu as rêvé, elle chuchote. Oui. Qu'as-tu vu cette fois ? Des chevaux, des centaines de chevaux dans la neige. Bien, elle dit. Les chevaux, c'est toujours bon signe. Ils ne sont pas loin, ils te parlent. Ils n'ont rien dit, je réponds. Ce n'est pas avec des mots qu'ils parlent, parce que tu ne les aurais pas compris. Si tu les as vus, c'est qu'ils te parlent.

*

Je pense à Clarence, le vieux sage gwich'in de Fort Yukon en Alaska, mon ami et précieux interlocuteur pendant toutes les années où j'ai vécu dans son village. Je l'ai toujours regardé avec des yeux amusés lorsqu'il me disait que tout était constamment « enregistré » et que la forêt était « informée ». *Everything is being recorded all the time,* répétait-il. Les arbres, les animaux, les rivières, chaque partie de monde retient tout ce que l'on fait et tout ce que l'on dit, et même, parfois, ce que l'on rêve et ce que l'on pense. C'est pour ça qu'il faut faire très attention aux pensées que nous formulons, puisque le monde n'oublie rien, et que chacun des éléments qui le composent voit, entend, sait. Ce qui s'est passé, ce qui advient, ce qui se prépare. Il existe un qui-vive des êtres extérieurs aux hommes, toujours prêts à déborder leurs attentes. Aussi chaque forme-pensée que nous déposons hors de nous-mêmes vient se mêler et s'ajouter aux anciennes histoires qui informent l'environnement, ainsi qu'aux dispositions de ceux qui le peuplent.

Il existe selon Clarence un sans-limites qui affleure à la surface du présent, un temps du rêve qui se nourrit de chaque fragment d'histoire qu'on continue d'y adjoindre. Il y a dans le monde une latence et un bouillonnement, semblables à la lave qui attend sous le volcan que quelque chose la force à sortir du cratère. C'est précisément pour cela que Daria et Vassia baissent la voix et chuchotent à l'aube dans la yourte ensommeillée lorsqu'ils se racontent leurs rêves. Tu as peur de réveiller les autres ? je demande un matin. Non, je ne veux pas qu'ils nous entendent, dehors, répond Daria.

*

Rêver avec la forêt, ce n'est pas confortable. Je pensais qu'après l'ours ça se calmerait, peut-être même que ça s'arrêterait. J'espérais. Passer des nuits noires et vides, juste le sommeil, ne plus se réveiller en sueur avant l'aube, être envahie d'images incompréhensibles au matin, avoir à en questionner le sens tout au long du jour. Ça continue. Soit.

Ce n'est pas que je ne comprends pas ce qui m'arrive ; ce qui m'est arrivé. Neuf ans que je travaille chez ceux qui « partent rêver plus loin », comme dit Clarence. Que fais-tu, avec ta tente sur tes épaules ? je lui demandais il y a cinq ans lorsqu'il s'éloignait subrepticement hors de Fort Yukon vers la forêt. Je n'entends rien ici. Je ne vois rien non plus. Trop de bavardages, trop de confort, trop de famille et pas assez d'autres. *Too much fuss !* Je sors rêver plus loin. Bon, je note. À force de temps, moi aussi j'ai commencé à rêver là-bas, mais juste un peu. Un loup après qui je cours entre les épinettes noires, un castor qui plonge sous les monticules de glace de la rivière Yukon et qui m'invite à le suivre. Rien d'alarmant alors, je me disais qu'il s'agissait de simples signes manifestes de cette nécessaire empathie qui forme le terreau de mon métier d'anthropologue.

Seulement quand je suis arrivée sous le volcan chez les Évènes d'Icha tout a changé, ou plutôt tout s'est intensifié, densifié. Je me suis mise à rêver en permanence. Daria ne s'est pas affolée : comme Clarence en pays gwich'in, elle a trouvé cela très normal, que ce soit moi qui rêve chez elle. C'est que pour rêver, il faut être déplacé, elle m'a dit un jour. C'est pour ça que je ne reste jamais trop longtemps chez moi, elle a continué. Toi, tu es si loin de ta maison… Pas étonnant que tu vois autant de choses, elle avait conclu. Très bien je m'étais dit au début, ça fera un beau sujet d'écriture sur l'animisme appliqué aux rêves, la perméabilité des esprits, l'enchevêtrement des ontologies, le dialogue des mondes, la transversalité des songes et que sais-je encore.

Quelle présomption ! De croire que mon agitation intérieure n'allait pas *réellement* m'expulser hors de moi-même. A-gîtée, j'ai donc rêvé. Hors les murs, hors la famille, hors le quotidien. Comme Daria et Clarence le préconisaient, pour établir un lien avec l'extérieur ; un lien efficace, je veux dire. Mais pour s'orienter vers qui, vers quoi ?

*

Je suis allongée sur le ventre d'un ours, il m'entoure d'une patte protectrice. Il est gros et gris. Nous discutons de choses et d'autres, nous parlons la même langue. Le corps de l'ours et le mien sont indistinctement mêlés, ma peau se fond dans son épaisse fourrure. Nous bavardons calmement mais soudain je sens une sourde angoisse lorsqu'un deuxième puis un troisième ours débarquent dans notre chambre (nous sommes étendus sur un lit dans une maison que je ne reconnais pas). L'un est noir, l'autre brun. Ils sont plus jeunes, plus petits aussi, ils me frôlent et brusquement je me sens menacée, je remarque leurs griffes, leurs dents et leur ambivalence, qui d'un coup se met à résonner avec la mienne, je ne suis plus très sûre de l'issue de cette rencontre, je suis terrifiée.

J'ai *vu* ce rêve avant l'ours, à Tvaïan. Daria dit que les images nocturnes ne sont pas toujours de pures projections. Des rêves-souvenirs ou des rêves-désirs. Il y a d'autres rêves, comme celui-là et comme celui des chevaux de cette nuit, qu'on ne contrôle pas mais qu'on attend, parce qu'ils établissent une connexion avec les êtres du dehors et ouvrent la possibilité d'un dialogue. Pourquoi c'est important ? Parce qu'ils permettent aux humains de s'orienter pendant la journée ; parce qu'ils donnent une indication sur la tonalité des relations à venir. Rêver avec, c'est être informé. C'est pour ça que l'on guette ceux qui reviennent d'un long voyage, d'une longue chasse, d'un long ailleurs ; c'est pour ça que Daria m'épie en pleine nuit et étudie les signaux qui ne trompent pas sur mon corps endormi : tremblements, mouvements brusques, gémissements, sueur.

*

Ce matin au sortir de la nuit et des rêves, Daria m'entraîne dehors. Viens poser un piège avec moi dans la forêt, loin des garçons, elle me dit. OK. Daria est une guerrière, une vraie. À Tvaïan, la vieille idée selon laquelle les hommes chassent et les femmes cuisinent est un leurre absolu, une jolie fiction d'Occidentaux qui peuvent dès lors être fiers de l'évolution de leur société et du dépassement des présumés rôles genrés. Ici, tout le monde sait tout faire. Chasser, pêcher, cuisiner, laver, poser des pièges, chercher de l'eau, cueillir des baies, couper du bois, faire du feu. Pour vivre en forêt au quotidien, l'impératif *est* la fluidité des rôles ; le mouvement incessant des uns et des autres, leur nomadisme journalier implique qu'il faut pouvoir tout faire à tout moment car la survie concrète dépend des capacités partagées lorsqu'un membre de la famille s'absente.

Nous nous enfonçons dans la neige profonde, nous n'avons même pas pensé à prendre les skis, trop pressées de nous éclipser. Nous traversons un bras de rivière. L'espace est étroit parmi les jeunes bouleaux serrés sur la berge, nous nous faufilons entre eux pour arriver sous le couvert des grands arbres. Nous progressons difficilement puis Daria s'arrête enfin, lève la tête vers la cime du grand arbre qui nous barre la route, sourit. Elle me montre un trou dans le tronc. Là, elle dit. Nous déneigeons les pourtours, je sors le piège en ferraille rouillée de mon sac à dos, lui tends. Elle le met en place, pose la queue de saumon en appât, arme le mécanisme. *Vot*, c'est fait. On s'assoit ? On s'assoit. Elle se met en face de moi, pose ses yeux dans les miens. Nastia, elle commence. Je t'avais déjà dit que tu rêvais beaucoup avant l'ours. Tu vois, ça continue. Quelle maligne je me dis. Je suis faite comme un rat, prise au piège à la place de la zibeline. Elle continue : Pas tout le monde y arrive. Tu étais déjà *matukha* avant l'ours ; maintenant tu es *miedka*, moitié-moitié. Tu sais ce que ça veut dire ? Ça veut dire que tes rêves sont les siens en même temps que les tiens. Tu ne dois pas repartir. Tu dois rester ici, parce que nous avons besoin de toi.

Nous revenons sur nos pas dans la neige. La zibeline va peut-être sauter sur cet arbre, puis sur celui-là. Ensuite elle fera sûrement le tour par le sol, là, et elle verra le poisson, commente Daria. *Vidno boudet*. On verra bien.

Il faudra vérifier dans deux jours. Si quelqu'un est tombé dans le piège. Je ris doucement dans son dos en secouant la tête, mes pas dans les siens. Il y a déjà quelqu'un qui est tombé dans le piège et tu le sais bien, je pense tout bas. J'aurais dû m'y attendre, ça devait arriver. La question, c'était plutôt quand. Nous y voilà, je me dis. Je me demande quoi faire de ça, je suis agacée, une fois de plus. Ce que je sais, c'est que ce sont ces mêmes rêves qui m'ont fait fuir d'ici il y a six mois, ces mêmes rêves qui m'ont menée dans la gueule de l'ours. Je n'ai aucune envie de recommencer. Rêver *avec* me fait très peur.

*

« Délivrer un peu le passé de sa répétition, voilà l'étrange tâche. Nous délivrer nous-mêmes – non de l'existence du passé – mais de son lien, voilà l'étrange et pauvre tâche. Dénouer un peu le lien de ce qui est passé, de ce qui s'est passé, de ce qui se passe, telle est la simple tâche. » J'ai commencé à lire Pascal Quignard il y a dix ans, quand j'étais sur le terrain en Alaska. Disons que ce fragment n'avait pas encore pris tout son sens.

Que mon monde ait été largement altéré avant cette rencontre est indéniable. « Une altération du rapport au monde », c'est comme ça que l'on désigne la folie de manière savante. De quoi s'agit-il ? D'une période, d'un instant court ou long durant lequel les limites entre nous et l'extérieur s'effacent peu à peu, comme si on se désintégrait doucement pour descendre dans les profondeurs du temps onirique où rien n'est encore stabilisé, où les frontières entre les existants sont encore flottantes, où tout est encore possible.

La première chose à dénouer, avant le pourquoi de ma fuite hors de la forêt cet été-là, c'est le comment de ma fuite hors de mon propre monde vers la forêt, quelques années en arrière. Une pensée assez triviale me trotte dans la tête depuis longtemps : personne n'a écouté Antonin Artaud qui pourtant avait raison. Il faut sortir de l'aliénation que produit notre civilisation. Mais la drogue, l'alcool, la mélancolie et *in fine* la folie et / ou la mort ne sont pas une solution, il faut trouver autre chose. C'est ce que j'ai cherché dans les forêts du Nord, ce que je n'ai que partiellement trouvé, ce que je continue de traquer.

Je suis docteur en anthropologie, consacrée sur les bancs de l'institution. J'ai un compagnon qui vit au fil des crêtes. Un chez-moi accroché à la montagne. Un livre en préparation. Tout va apparemment bien. Pourtant quelque chose taraude, grignote le fond du ventre, la tête brûle aussi, j'ai une sensation de fin de moi, de fin de cycle aussi peut-être. Le sens s'étiole, j'ai l'impression de vivre de l'intérieur ce que j'ai décrit chez les Gwich'in en Alaska : je ne me reconnais plus. C'est une sensation

horrible, parce qu'il m'arrive précisément ce que j'ai cru observer chez ceux que j'étudiais. Mes formes usuelles s'effritent. Mon écriture s'enlise, je n'ai plus rien d'intéressant à dire, plus rien qui vaille la peine. Mon amour achève de se dissoudre, malgré les mots malgré la verticalité malgré les cimes leur exigence et leur indifférence. Je m'épuise dans d'inutiles circonvolutions mentales, je compense par des exploits physiques, mais il n'y a rien à faire, je sombre.

Combien de psychologues me prendraient pour une folle, si je leur disais que je suis affectée par ce qui se passe hors de moi ? Que l'accélération du désastre me pétrifie ? Que j'ai l'impression de ne plus avoir prise sur rien ? Ah, voilà donc la raison qui vous pousse à vous accrocher aux montagnes ! Oui, et là où ça devient grave, c'est que même la montagne s'effondre. Faute de cohésion, à cause de la glace qui fond, faute à la canicule. Les prises cassent, les rochers tombent, voilà la réalité. Et les amis s'écrasent au pied des parois. Suis-je en train de filer une mauvaise métaphore d'alpiniste ? Je ne crois pas. Je ne peux pas la circonscrire exactement, mais j'ai une certitude : quelque chose résonne en moi, quelque chose qui fait mal et qui désoriente.

Cela aurait été si simple, si mon trouble intérieur se résumait à une problématique familiale irrésolue, à mon père disparu trop tôt, aux attentes insatisfaites de ma mère. Je pourrais dès lors « résoudre » ma dépression. Mais non. Mon problème, c'est que mon problème n'appartient pas qu'à moi. Que la mélancolie qui s'exprime dans mon corps vient du monde. Je crois que oui, il est possible de devenir « le vent qui souffle à travers nous », comme disait Lowry. Et qu'il est commun de ne pas en revenir, comme lui, comme tant d'autres. J'ai rejoint les Évènes d'Icha et j'ai vécu dans la forêt avec eux pour une raison bien en deçà de celle d'une recherche comparative. J'ai compris une chose : le monde s'effondre simultanément de partout, malgré les apparences. Ce qu'il y a à Tvaïan, c'est qu'on vit consciemment dans ses ruines.

*

Tous les matins, je plonge le seau dans le trou d'eau de la Tvaïanskaïa. Je m'arrête quelques minutes. J'aime regarder l'eau qui coule sous la glace. Ce trou, cinquante centimètres de diamètre, c'est comme une fenêtre, une lucarne. Un point de vue sur le monde d'en dessous où tout est encore en mouvement, alors qu'en surface c'est immobile, désespérément statique. Ne pas se fier à l'immédiatement donné à voir, je pense chaque fois. Regarder plus loin ou plus profond, vers ce qui est caché.

J'admets qu'il y a bien un sens au monde dans lequel nous vivons. Un rythme. Une orientation. D'est en ouest. De l'hiver au printemps. De l'aube à la nuit. De la source à la mer. De l'utérus à la lumière. Mais parfois je pense à Copernic. Au crime de lèse-majesté qu'il a commis à l'époque en affirmant que nous ne tournons pas dans le sens dans lequel nous croyons tourner ; que le sens de rotation du monde n'est pas le sens sensible ; qu'il est inverse à celui que nous percevons. L'intuition de Copernic a-t-elle quelque chose à voir avec la question du retour, avec la remontée illogique des êtres à leur source ? La rivière descend vers la mer mais les saumons la remontent pour mourir. La vie pousse à l'extérieur du ventre mais les ours redescendent sous terre pour rêver. Les oies sauvages vivent au sud mais reviennent coloniser les ciels arctiques de leur naissance. Les humains sont sortis des grottes et des bois pour construire des cités, mais certains reviennent sur leurs pas et habitent à nouveau la forêt.

Je dis qu'il y a quelque chose d'invisible, qui pousse nos vies vers l'inattendu.

*

Vassia verse le thé dans son bol, hume, content de lui. Il vient de ramener trois poissons ; cela faisait une semaine que Daria le narguait avec ses rêves prémonitoires et ses pêches fructueuses, alors que lui revenait bredouille chaque jour. Quand ça veut pas, ça veut pas, lançait-il de retour de la rivière. Natacha prépare les poissons en beignets, l'huile grésille sur le poêle. La cabane est presque vide en ce milieu d'après-midi. Ivan est parti à la chasse aux tétras, Volodia est allé chercher du bois. Daria est dehors, s'occupe des chiens. Vassia et moi sommes accoudés sur la table basse. Je n'ai pas encore eu l'occasion de discuter avec lui depuis son arrivée, je sais que cela fait une semaine qu'il attend ce moment, je le vois dans ses yeux. *Chto, skaji*. Quoi, dis-moi. Je lui lance alors qu'il tourne autour du pot en me demandant si là, ça fait encore mal ou pas, en me montrant ses cicatrices à lui qui couvrent ses bras, vestiges d'un temps où il travaillait dur pour le sovkhoze, vestiges d'un temps où il y avait encore de dangereux tracteurs en activité ici.

Les ours sont les plus intelligents de tous les animaux, il me dit. Ils sont comme les humains, aussi puissants. Tu savais ? Je savais. Et est-ce que tu sais pourquoi il t'a mordu au visage, il demande. Non, je ne sais pas. Il pointe du doigt mes yeux. À cause d'eux, il me dit. Il rit. Vassia rit tout le temps, du haut de ses soixante-dix ans, même quand il est très sérieux. Il reprend en fronçant les sourcils. Les ours ne supportent pas de regarder dans les yeux des humains, parce qu'ils y voient le reflet de leur propre âme. Tu comprends ? Pas trop, non, je réponds. C'est simple pourtant, Nastia. Un ours qui croise le regard d'un homme cherchera toujours à effacer ce qu'il y voit. C'est pour ça qu'il attaque inévitablement, s'il voit tes yeux. Tu l'as regardé dans les yeux n'est-ce pas ? Oui. Ah ! s'exclame-t-il, je le savais ! Je leur ai dit, aux autres, mais Daria me fait tout le temps taire, elle ne veut pas qu'on parle de ce qui s'est passé. Je lui souris. C'est parce que Daria est une maman, et les mamans n'aiment pas voir souffrir ceux qu'elles aiment. Humm, marmonne-t-il. Nous buvons une gorgée de thé en silence. Les ours, ce qui les différencie de nous, c'est qu'ils ne peuvent pas se regarder en face. Tu comprends maintenant ? Oui je comprends. Heureusement qu'ils n'ont pas de miroir, eux, sinon ils deviendraient tous fous ! Vassia éclate d'un rire cristallin, et moi avec lui.

Les jours suivants je rumine ce qu'a dit Vassia, et je pense inévitablement à Jean-Pierre Vernant. À un passage de son livre *La mort dans les yeux* : « Dans le face-à-face de la frontalité, l'homme s'établit en position de symétrie par rapport au dieu [...] la fascination signifie que l'homme ne peut plus détacher son regard, détourner son visage de la Puissance, que son œil se perd dans celui de la puissance qui le regarde comme il la regarde, qu'il est lui-même projeté dans le monde où préside cette puissance. » Voir la méduse pour Vernant, c'est cesser d'être soi-même, être projeté dans l'au-delà, devenir l'autre. Voir l'humain qui voit l'ours ou l'ours qui voit l'humain pour Vassia, c'est figurer la réversibilité ; décrire un face-à-face où l'altérité *a priori* radicale est en réalité la plus grande proximité ; un espace où l'un est le reflet de son double dans l'autre monde.

J'avais déjà pensé à Vernant en travaillant sur la question de la chasse en Alaska. À cet instant où le *fascinus* se saisit des corps pour les projeter dans la folie ou dans la mort. Mais je me suis trompée. J'ai écrit dans *Les âmes sauvages*[1] que la mort était la forme la plus efficace pour sortir du *limes* invivable que la rencontre entre deux êtres *alter* implique. Du cycle des métamorphoses qui s'enclenche alors et dont on ne revient pas. Sauf que je ne suis pas morte, et que l'ours non plus.

J'écris depuis des années autour des confins, de la marge, de la liminarité, de la zone frontière, de l'entre-deux-mondes ; à propos de cet endroit très spécial où il est possible de rencontrer une puissance autre, où l'on prend le risque de s'altérer, d'où il est difficile de revenir. Je me suis toujours dit qu'il ne fallait pas se faire prendre au piège de la fascination. Le chasseur, enduit des odeurs de sa proie et ayant revêtu ses habits, module sa voix pour adopter celle de l'autre et, ce faisant, entre dans son monde, masqué mais encore lui-même sous son masque.

1. Nastassja Martin, *Les âmes sauvages*, La Découverte, 2016.

Voilà la ruse, voilà son péril. Toute la question devient alors : parvenir à tuer pour pouvoir *revenir* – à soi, aux siens. Ou bien : échouer, se faire avaler par l'autre et cesser d'être vivant dans le monde des humains. J'ai écrit ces choses en Alaska ; je les ai vécues au Kamtchatka. Ironie du travail comparatif, plaisanterie des deux blocs qui s'observent de part et d'autre du détroit de Béring ; étrangeté du face-à-face entre mon esprit en Amérique qui regarde mon corps en Russie.

Je suis allée au bout de la rencontre archaïque mais je suis revenue puisque je ne suis pas morte. Il y a eu hybridation et pourtant je suis toujours moi. Enfin je crois. Quelque chose qui ressemble à moi, les traits du masque animiste en plus : je suis *inside out*. Le fond animiste des humains *c'est* le visage déformé du masque. Moitié homme moitié phoque ; moitié homme moitié aigle ; moitié homme moitié loup. Moitié femme moitié ours. Le dessous du visage, le fond humain des bêtes, c'est ce que l'ours voit dans les yeux de celui qu'il ne devait pas regarder ; c'est ce que mon ours a vu dans mes yeux. Sa part d'humanité ; le visage sous son visage.

*

Depuis quelques jours les éleveurs et leurs rennes ont nomadisé dans une toundra voisine de Tvaïan. Ils passent leurs soirées avec nous quand ils le peuvent, s'il ne neige pas trop pour parvenir jusqu'ici, quand l'odeur du bois sur leurs peaux les fait rêver du bain. Deux d'entre eux, Pavlic et Chander, sont les neveux de Daria. Je les aime bien. Le troisième, c'est son cousin, Valierka. Lui, c'est autre chose. Je n'aime pas ses silences, ni sa manière de me détailler quand j'ai le dos tourné, d'éviter mon regard dès que je lui fais face. Il est fuyant, glissant. C'est comme ça depuis le début : ma présence l'indispose profondément. Il y a plusieurs années, alors que je me présentais à lui un soir d'été, il m'a lancé : Anthropologue, espionne, c'est pareil. N'attends rien de moi je ne parlerai pas. Preuve qu'il y a encore une guerre entre l'Est et l'Ouest j'ai pensé. Ou les réminiscences d'une guerre. Depuis, je l'évite le plus possible. Mais en hiver, avec le regroupement qu'oblige le froid, c'est difficile. Un jour, il cherchera à me blesser j'en suis certaine, et ça n'a pas manqué. C'est ce soir que ça devait arriver.

Nous sommes assis sur les petits tabourets dans la cuisine. Lui, moi, Pavlic. Un peu de poisson fumé au milieu de la table, du thé. Pavlic attend pour aller au sauna qui chauffe depuis ce matin. Chander revient, une serviette sur les épaules, la vapeur s'élève au-dessus de ses cheveux alors qu'il ouvre la porte. Pavlic se lève, cherche sa serviette partout dans la cabane. Je le suis, passe la porte pour aller dans l'autre pièce, fouille dans mon sac. Tiens, prends celle-là si tu veux, elle est propre.

Il sourit, merci, s'en saisit. Il revient dans la cuisine, se penche au-dessus de la table pour attraper sa veste. Pose ça, lui dit Valierka. Pavlic le regarde, interloqué. Pose cette serviette, ordonne de nouveau l'oncle. Pourquoi ? demande Pavlic. Parce que c'est la serviette de Nastia. Elle est *miedka*. Tu sais ce que ça veut dire ? Ça veut dire qu'on ne touche pas à ses affaires. Il baisse les yeux sur le poisson, attrape un morceau, porte la tasse de thé à ses lèvres et fait comme si de rien n'était. Pavlic, Chander et moi nous tenons debout, figés, stupéfaits.

Daria entre avec le seau d'eau à la main, elle a tout entendu de l'extérieur. Elle fusille Valierka du regard. Tu sors, elle lui dit. Pas de ça chez moi, t'as qu'à aller manger tout seul à la yourte. Valierka lève les yeux sur elle, hausse la voix. Tu sais très bien que c'est vrai. Vous aussi, vous devriez vous méfier. Elle n'apportera que des mauvaises choses ici. Les *miedka*, quand ils reviennent de l'autre côté, il faut les éviter. Daria ouvre la porte, pointe du doigt la sortie. Va-t'en. Nastia c'est ma famille. Va ronger tes nerfs tout seul cette nuit. Le visage de Valierka devient écarlate, il voudrait dire quelque chose mais ça se voit, il ne peut pas ; Daria est chez elle, Daria commande, Daria est chef. Il repousse le tabouret en s'appuyant à la table, attrape sa veste sur le portemanteau et claque la porte. Vrombissement de motoneige énervée. Nuage de poudreuse qui vient s'abattre sur la fenêtre de la cabane.

J'ai envie de disparaître six pieds sous terre. Daria me prend par le bras, viens. Nous passons dans l'autre pièce et nous asseyons sur la peau de renne à l'abri des regards. Elle ne peut plus reculer, elle doit parler. Ça ne lui plaît pas mais elle n'a plus le choix, parce que cette fois j'attends, qu'elle assume, qu'elle dise quelque chose sur ce nom qui me colle à la peau et qui vient de leur monde, pas du mien.

Nastia. Tu m'écoutes ? Je t'écoute. Il ne faut pas le prendre mal. Et il ne faut surtout pas le prendre pour toi. Valierka, il est comme plein d'autres, il a peur. Pourquoi ? je demande. Parce que les personnes marquées par l'ours comme toi, ce sont les seules qui sont entrées en contact direct avec lui. Et ? Et c'est une proximité qui vient d'avant, qui fait que *ça* s'est passé, que *ça* a été possible. Je suis au courant, je dis. Et alors ? Qu'est-ce que ça change à sa vie à lui ? C'est ce que je t'explique, il a peur. Chez nous, on pense que les *miedka*, il faut les éviter et surtout ne pas toucher à leurs affaires. Pourquoi ? Sa tergiversation m'agace profondément, parle-moi s'il te plaît, ne me cache rien. Parce qu'elles ne sont plus tout à fait elles-mêmes, tu vois ? Parce qu'elles portent la part de l'ours en elles. Daria soupire. Pour certains, ça va plus loin. On dit qu'elles restent « poursuivies » par l'ours à vie. Poursuivies en rêve ou poursuivies pour de vrai ? je demande. Les deux, dit Daria en baissant les yeux. C'est un peu comme si ces personnes étaient ensorcelées, tu comprends ? Je comprends. Une larme roule sur

ma joue. Daria tire un bout du drap, l'essuie. Donc tu crois toi aussi que je suis ensorcelée ? Si je suis vraiment *miedka* et qu'être *miedka* c'est être tout ça alors pourquoi est-ce que tu ne m'évites pas toi aussi ? Je ne crois rien, répond Daria. Tout ça, c'est juste des histoires. Nous ici, on vit avec toutes les âmes, celles qui errent, celles qui voyagent, les vivants et les morts, les *miedka* et les autres. Tout le monde.

Ça s'arrête toujours comme ça, sur de la frustration. On dirait presque que *ne pas aboutir sa pensée* fait loi. Suspendre sa pensée pour interrompre ses mots ; faire silence pour survivre.

Daria, pourquoi tu ne me parles pas plus ? Plus loin, plus fort, plus précisément ? Parce que quand je parle, ça arrive.

*

Ce matin je suis retournée m'asseoir sur la berge au-dessus de la rivière qui coule sous la glace. J'ai envie de rentrer à la maison, de l'autre côté du monde. Revoir ma mère. Ivan arrive, c'est sa spécialité, faire barrage à la mélancolie, il dit toujours : Ici on vit, pas le temps de s'apitoyer. Tu penses encore à ce qu'a dit Valierka hier ? Oui, un peu. Laisse tomber. Ce qui compte, c'est que toi tu saches. Les gens font que ça, penser à ce que pensent les autres. Ça sert à rien. Il rit. Moi non plus, il ne m'aime pas. Il n'aime personne. Tu sais ? Oui, je sais. Mais ça ne change rien je dis. Bientôt, je vais partir.

Ivan soupire. Plus trace du moindre sourire sur son visage. Tu vas partir comme tu es déjà partie la dernière fois ? Tu devrais écouter maman. Tu ferais mieux de rester avec nous. Ici tu es en sécurité. Hum, je réponds. Et dehors il y a les ours, c'est ça ? Arrête, il me coupe. Tu te souviens à l'hôpital de Petropavlovsk ? Quand je t'ai demandé pourquoi tu étais partie cet été-là. Tu ne m'as rien répondu. T'as dit : Tu peux pas comprendre. Ou quelque chose comme ça. Tu veux savoir ce que je crois ? Si tu veux, je soupire. Moi je dis que toi-même tu ne sais pas ce qui te pousse toujours à partir plus loin. Peut-être bien j'acquiesce. Ou alors peut-être que c'est du domaine de l'indicible. Ou de l'intraduisible. Comme une autre langue tu vois, un truc qui se vit mais qui échappe à l'explication. Un truc qui déborde, un truc qui te déborde. Ivan secoue la tête, il secoue la tête comme s'il se débarrassait de la tristesse qu'il déteste sentir poindre dans son propre corps. Il rit de nouveau. T'es marrante. Toi aussi. Un truc comme les rêves ? Ouais. Un truc comme les rêves.

Il y a une rivière avec une falaise. Une cascade, très haute. Je me penche pour regarder. Dans l'eau en contrebas on distingue des rochers menaçants, on dirait une mâchoire ouverte pleine de dents pointues qui attend sa proie. Je tremble. Je m'allonge sur le rebord pour mieux voir et cesser de trembler mais j'ai si peur, je peine à me relever. Ivan et Volodia s'approchent. Suis-nous, disent-ils. Ils prennent leur élan et plongent. Je ferme les yeux, je les imite, on s'enfonce sous les remous à l'écart des rochers. Je rouvre les yeux sous l'eau. Tout est si clair, je vois les saumons comme s'ils nageaient dans l'air ; puis je vois le chasseur qui nage devant moi. Sauf que ce n'est plus un homme. C'est un oiseau multicolore qui tourne sur lui-même mais nage avec la grâce des poissons qui l'entourent. Je regarde mes mains qui remuent devant moi. Soudain il n'y a plus de bras, mais des plumes jaunes et rouges qui fouettent l'eau.

Je pense à mon premier rêve ici et je ne réponds rien de plus à Ivan parce que je n'ai plus rien à dire. Ce n'est pas une ruse, et de toute façon je ne gagnerai pas à ce jeu-là avec lui, il est bien meilleur chasseur que moi. J'essaie. D'agencer au moins dans ma tête. Ce quelque chose qui émerge, cette sorte de réponse en forme de question ouverte, cet en deçà de l'agacement et des rêves récurrents qui m'ont fait fuir cette forêt et avec elle ses habitants et la place qu'ils ont voulu me donner. Cette place dont je ne veux toujours pas, une place au milieu des chamans partis trop tôt et de *miedka* arrivées trop tard.

*

Trop c'est trop, je m'étais dit. Je m'en vais, je dois fuir hors de ce système de significations et de résonances qui menace ma santé mentale. Plus tard, je lisserai tous ces fragments d'expériences ingouvernables, je les transformerai en données enfin suffisamment essentialisées et désincarnées pour pouvoir être manipulées et mises en relation les unes aux autres. Plus tard, je ferai mon métier d'anthropologue. Pour l'instant je dois couper, radicalement : je m'en vais vers les montagnes, je veux de l'air, pas d'obstacles pour le regard, du froid, de la glace, du silence, du vide et de la contingence, surtout plus de destin, et encore moins de signes.

Et pourtant. C'est au cœur des glaciers et au milieu des volcans, loin des hommes, des arbres, des saumons et des rivières que je l'ai trouvé, ou que lui m'a trouvée. Je marche sur ce plateau d'altitude aride sur lequel je n'ai *a priori* rien à faire, je sors du glacier, je descends du volcan, derrière moi la fumée crée un halo de nuages. Je m'imagine seule pour toutes les raisons personnelles historiques et sociales que l'on sait mais pourtant je ne le suis pas. Un ours tout aussi déboussolé que moi se promène lui aussi sur ces hauteurs où il n'a rien à faire non plus, il est presque comme un alpiniste alors, c'est vrai que fait-il là, sur cette terre dégarnie sans baies ni poissons alors qu'il pourrait être tranquillement en forêt en train de pêcher? Nous tombons l'un sur l'autre, si le *kairos* doit avoir une essence c'est celle-ci. Une aspérité du terrain nous cache l'un à l'autre, la brume monte, le vent ne souffle pas dans le bon sens. Quand je l'aperçois il est déjà devant moi, il est aussi surpris que moi. Nous sommes à deux mètres l'un de l'autre, il n'y a pas d'échappatoire possible, ni pour lui ni pour moi. Daria m'avait dit, si tu rencontres un ours, dis-lui « je ne te touche pas, tu ne me touches pas non plus ». Oui, certainement, mais pas là. Il me montre les dents, sans doute a-t-il peur, moi aussi j'ai peur, mais faute de pouvoir fuir, je l'imite, je lui montre les dents. Tout va très vite ensuite. Nous entrons en collision il me fait basculer j'ai les mains dans ses poils il me mord le visage puis la tête je sens mes os qui craquent je me dis je meurs mais je ne meurs pas, je suis pleinement consciente. Il lâche prise et m'attrape la jambe. J'en profite pour dégager mon piolet qui est resté à ma bretelle depuis la descente du glacier juste derrière, je le frappe avec, je ne sais pas où car j'ai les yeux fermés, je ne suis plus que sensation. Il lâche. J'ouvre les yeux, je le vois s'enfuir au loin en courant en boitant, je vois le sang sur mon arme de fortune. Et moi je reste là, hallucinée et sanguinolente, à me demander si je vais vivre mais je vis, je suis plus lucide que jamais, mon cerveau tourne à mille à l'heure. Je me dis : si je m'en sors, ce sera une autre vie.

En ce jour du 25 août 2015, l'événement n'est pas : un ours attaque une anthropologue française quelque part dans les montagnes du Kamtchatka. L'événement est : un ours et une femme se rencontrent et les frontières entre les mondes implosent. Non seulement les limites physiques entre un humain et une bête, qui en se confrontant ouvrent des failles sur leur corps et dans leur tête. C'est aussi le temps du mythe qui rejoint la réalité ; le jadis qui rejoint l'actuel ; le rêve qui rejoint l'incarné. La scène se déroule de nos jours, mais elle pourrait tout aussi bien être advenue il y a mille ans. C'est juste moi et cet ours dans le monde contemporain indifférent à nos infimes trajectoires personnelles ; mais c'est aussi le face-à-face archétypal, c'est l'homme chancelant au sexe dressé face au bison blessé dans le puits de Lascaux. Comme dans la scène du puits, c'est l'incertitude quant à l'issue du combat qui préside à l'événement incroyable qui pourtant advient. Mais contrairement à la scène du puits, la suite n'est pas un mystère, puisque aucun de nous ne meurt, puisque nous revenons de l'impossible qui a eu lieu.

Ce n'est pas une pensée que je voudrais verbaliser ; je préfère l'écrire : aujourd'hui assise au bord de la rivière dans la neige mouillée j'écris qu'il existe une loi implicite, silencieuse. Une loi propre aux prédateurs qui se cherchent et s'évitent dans les profondeurs des bois ou sur les dorsales de la terre. La loi est la suivante : lorsqu'ils se trouvent s'ils se trouvent, leurs territoires implosent, leurs mondes se retournent, leurs cheminements usuels s'altèrent et leurs liens deviennent indéfectibles. Il existe une suspension du mouvement une retenue un arrêt une stupeur qui saisit les deux fauves pris dans la rencontre archaïque – celle qui ne se prépare pas, celle qui ne s'évite pas, celle qui ne se fuit pas.

Au sortir du no man's land tant espéré de la montagne du glacier du plateau d'altitude, finalement moins dépeuplé que je l'imaginais, il ne me reste que peu de certitudes. La stabilité des êtres et des choses m'échappe, leur organisation en systèmes intelligibles et institués me fuit, la possibilité de leur pérennité dans le temps me déserte. Mes « données », celles que j'avais soigneusement collectées, celles que j'avais commencé à mettre bout à bout pour créer un monde – celui que je voulais partager avec mes contemporains – gisent à présent à mes pieds comme autant de liens brisés qu'il faudra bien, plus tard, réagencer autrement. Pourquoi ? *Potomou chto nado jit dalché.* Parce qu'il faut pouvoir vivre plus loin, comme disent tous ceux qui habitent ici dans la forêt sur la rivière sous le volcan. Il faut pouvoir vivre après avec et face à cela ; juste vivre plus loin.

*

Que veut dire sortir des abysses où règne l'indistinct, choisir de reconstruire d'autres limites à l'aide des nouveaux matériaux trouvés tout au fond de la nuit indifférenciée du rêve ? Tout au fond de la gueule béante d'un autre que soi ?

Je pense au petit rat musqué et à l'homme du mythe gwich'in en Alaska concernant la création du monde. Je pense à l'océan sans limites sur lequel ils flottent, incertain, ouvert, non borné, liquide. Je pense à ce petit rat musqué qui plonge tout au fond de l'eau, là où il fait noir là où il est aveugle là où il a peur, pour aller recueillir dans ses griffes les fragments de tourbe qu'ils utiliseront ensemble, avec l'homme, pour créer une terre ferme sur laquelle marcher et délimiter leurs espaces respectifs. Je pense aussi à cet homme aveugle et maladif, qui reçoit l'aide du plongeon huard, qui grimpe sur son dos et qui par trois fois plonge avec lui dans les profondeurs sombres du lac, pour en revenir transformé et doté d'une nouvelle vision. Je pense à toutes ces histoires et à tous ces mythes que moi comme tant d'autres anthropologues avons soigneusement retranscrits dans nos monographies sur les peuples que nous avons étudiés, à tous ces voyages d'un monde à l'autre qui attisent notre intérêt scientifique, à tous ces hommes un peu spéciaux, ces chamans que nous traquons comme les chasseurs pistent les animaux qui les fascinent. Je pense à tous ces êtres qui se sont enfoncés dans les zones sombres et inconnues de l'altérité et qui en sont revenus, métamorphosés, capables de faire face à « ce qui vient » de manière décalée, ils font à présent avec ce qui leur a été confié sous la mer, sous la terre, dans le ciel, sous le lac, dans le ventre, sous les dents.

*

Les jours s'étirent dans le froid, les nuits n'en finissent pas. L'air est givré, figé. Il est temps de partir, mais on tait l'imminence de ce départ. C'est comme ça en forêt : on ne part jamais petit à petit, on ne se prépare pas, on fait comme si rien n'allait jamais changer jusqu'à ce que tout bascule d'un coup. C'est précisément cela, le qui-vive. Profiter de l'immobilité du corps jusqu'à ce qu'il faille bondir, toujours lorsqu'on s'y attend le moins. Il ne faut jamais parler du moment où l'on se séparera ; du moment où rien ne sera plus pareil. On vit ainsi consciemment dans l'illusion de l'éternité, parce qu'on sait pertinemment qu'en un instant tout ce que l'on a toujours connu se délitera, se recomposera, ici ou ailleurs, se métamorphosera et deviendra ce quelque chose d'insaisissable dont on ne pourra plus rien assumer. Cette potentialité terrifie tout le monde. Parce qu'elle est connue de tous en forêt et parce qu'on l'attend toujours au détour du chemin, on s'accorde silencieusement pour la taire.

J'écris sous le porche, face à la porte ouverte sur le monticule de neige et l'arbre derrière, une tasse de thé brûlante posée sur le banc. La température grimpe, on sent venir le printemps. Volodia passe, un livre à la main. Il s'arrête, s'assied à côté de moi, regarde par-dessus mon épaule. Tu écris sur l'ours, sur toi ou sur nous ? Les trois mon capitaine. Volodia rit, regarde les pages noircies qui s'accumulent. Tu devrais l'appeler *Guerre et Paix* ! Je ris avec lui. Et toi tu lis quoi ? je demande en désignant son livre. Il ferme les yeux, place les mains sur ses genoux puis prend une grande inspiration. Chaque homme dans sa nuit s'en va vers sa lumière. Il rouvre les yeux. C'est beau non ? C'est beau. Victor Hugo, ma chère.

Ce matin la rivière s'est libérée des glaces. Comme ça, d'un coup. Tout s'est mis en mouvement sans prévenir. Nous devrions partir, nous dépêcher avant que le Buran ne devienne obsolète sur la neige mouillée. Mais non. Nous choisissons plutôt d'aller pêcher. On pourrait croire que j'aime ça, la pêche, après plus de dix ans de travail avec des chasseurs-pêcheurs. C'est tout l'inverse. Surtout en hiver. Attendre des heures dans le froid. Se faire croire que ça va mordre, même quand rien ne se passe. S'obstiner, même quand il continue de ne rien se passer. Pourquoi personne ne parle jamais de ça ? je me demande rageusement en regardant ma ligne qui flotte mollement entre les plaques de glace. De cette attente transie, du presque-rien qui couronne généralement notre échec ? Rentrer frigorifiés à la maison, s'enfoncer jusqu'à la taille dans la neige de printemps, boire le thé, boire le thé. Je ris toute seule, je m'amuse de cette absurdité qui est pourtant le cœur battant de la vie en forêt.

C'est toujours comme ça ici, rien ne se passe jamais comme on veut, ça résiste. Je pense à toutes ces fois où le coup ne part pas, où le poisson ne mord pas, où les rennes n'avancent pas, où la motoneige toussote. C'est pareil pour tout le monde. On essaie d'avoir du style mais on trébuche, on s'enfonce, on clopine, on tombe, on se relève. Ivan dit qu'il n'y a que les humains pour croire qu'ils font tout bien. Que les humains pour accorder une telle importance à l'image que les autres ont d'eux. Vivre en forêt c'est un peu ça : être un vivant parmi tant d'autres, osciller avec eux.

*

Jours de printemps. Jours d'abattage des rennes. Jours de carnage. Les éleveurs profitent du voyage commun et imminent jusqu'au village pour aller vendre la viande.

Ivan est parti hier à la yourte les aider. Je suis venue le rejoindre pour voir, par conscience professionnelle peut-être, par manque de discernement surtout. C'est une boucherie à ciel ouvert que je découvre. Je n'imaginais pas l'effet qu'auraient sur moi non pas un, deux, mais cinquante rennes abattus, traînés dans la neige, décapités et dépecés sur un établi de fortune. Ivan tue, coupe, vide, tranche, empile, déplace. Les mains sont rouges, la neige est rouge, les touffes de poils jonchent le sol et s'envolent au loin sous le vent glacé. J'ai envie de vomir. Ivan ne sait sans doute pas pourquoi il a choisi cet abattage massif plutôt que la maison, rien ne l'obligeait, il n'est pas éleveur, lui. Aider, il a simplement dit. Mais aider à quoi ? Les autres étaient suffisamment nombreux.

Les yeux d'Ivan se voilent alors que le sang coule à flots, je le regarde se perdre dans les raisons mêmes qui poussèrent sa famille à abandonner l'élevage d'État et à redevenir chasseurs. Il est hors de lui, il n'est plus que puissance de mort. Ivan retourne au troupeau, attrape une bête au lasso, saute sur elle, plonge le couteau dans le cervelet. Je le vois s'épuiser à la ramener dans la neige, je vois la sueur sur son front alors qu'il coupe la tête, vide les entrailles et accroche la carcasse au crochet dans l'arbre. Est-ce qu'il se demande ce qu'il fait là ? Je crois qu'en cet instant il a tout oublié. Oublié qui il est, oublié le choix de sa famille, oublié pourquoi eux, ils ne font plus ça. Mais peut-être que je me trompe. Peut-être sait-il exactement ce qu'il cherche dans cette férocité qui préfigure mon départ. Je dis qu'il y a bien une fureur qui bouillonne en nous. Une moitié de corps, une moitié d'esprit, qui s'apprête sans cesse à déchirer la fragile unité de nos vies.

Et moi ? Savais-je ce que je cherchais avec l'ours ? Savais-je qui j'attendais et qui je voyais en rêve ? Savais-je pourquoi je pistais ses traces partout et pourquoi j'espérais secrètement croiser un jour son regard ? Bien sûr, pas comme ça. Pas si vite, pas si fort. Partir, je disais. De l'air, de la glace, des rochers, l'horizon. S'est ajouté du sang. Il m'a prise au dépourvu dans mon attente. Son baiser ? Intime au-delà de ce qui est imaginable. Mon regard se brouille et tout devient flou, les têtes de renne qui jonchent le sol, les corps décapités qui perdent leur sang, les hommes qui s'affairent autour. Ivan arrête ça je n'en peux plus. Est-il possible de vivre sans cette fureur qui pulse au fond de nous, qui menace périodiquement de tout anéantir ? Il faudrait toujours être sûrs de pouvoir revenir. Revenir de l'autre monde, comme Perséphone. Six mois en haut, six mois en bas, pratique. Mais hors du temps du mythe, le cycle se brise, parce que c'est comme ça, parce que c'est l'Époque, parce que c'est ce à quoi nous faisons tous face. Il faudrait que les deux visages du masque animiste cessent de s'entre-tuer, qu'ils créent la vie, qu'ils créent autre chose qu'eux-mêmes. Il faudrait, non, il faut à tout prix sortir de cette dualité réversible mortifère.

Ivan lève les yeux vers moi, il voit mes larmes, il entend ma supplication silencieuse. Laisse le sang, lâche la mort, viens partons. Il sort un chiffon de sa poche, essuie son couteau. Il le range dans le fourreau à sa ceinture. Je dois y aller les gars, à demain. Nous marchons parmi les arbres vers la yourte, nous laissons la toundra ensanglantée derrière nous. Merci, il dit. De rien, je réponds.

Je mets un pied devant l'autre. Sortir d'ici, je ne pense plus qu'à ça. Je voudrais savoir à quoi Ivan pense. Mais je ne lui demande pas. C'est bien le silence, parfois. Je ne sais toujours pas véritablement où je vais ni qui je suis. Finalement, peut-être que lui non plus. Ivan revient de tout ce sang qu'il a fallu verser pour faire partie d'une lointaine modernité. Moi je reviens de la gueule d'un ours. Le reste ? C'est un mystère.

*

Daria reste ici, elle ne quitte presque jamais la forêt. Tout est prêt, les sacs sont sur les traîneaux, la viande aussi, les chiens aboient, les loups leur répondent au loin. Nous marchons sur la colline qui domine le camp, nous nous agrippons aux branches et aux racines pour progresser dans la pente. Là-haut, une souche d'arbre surplombe Tvaïan. Tu me roules une cigarette ? Oui.

Nous fumons en silence, nous regardons les autres qui s'affairent en bas, ils ne nous voient pas mais nous oui, j'aime bien ça, dit Daria.

Alors tu pars ? Je pars. Il n'y a rien à faire pour te retenir ? Non. Tu vas faire quoi ? Écrire. Sur quoi ? Sur vous, sur nous et sur ce qui vient. Qu'est-ce qui vient ? L'impensable. Daria sourit. Toi et tes mots. Dis-m'en plus. Je ris. Tu vois ? je lui dis. Comme c'est pénible, quand tu me laisses dans le flou ? Elle glousse, je sais je sais, mais ça, c'est le privilège de la vieillesse. Se taire quand on ne veut pas trop en dire, éviter d'échafauder des plans puisqu'ils ne se déroulent jamais comme prévu. Toi, c'est une autre histoire. Je te connais, tu vas faire quand même, alors dis-moi.

Je lui dis : Daria, je vais faire ce que je sais faire, je vais faire de l'anthropologie. Et comment ça se fait, l'anthropologie ? elle demande en me fixant avec ses yeux espiègles. Je souffle, tu m'embêtes, avec tes questions difficiles. Je lève les yeux au ciel, jette ma cigarette, souffle encore. Je ne sais pas comment ça se fait Daria. Je sais comment moi je fais. Tu écoutes ? J'écoute. Je m'approche, je suis saisie, je m'éloigne ou je m'enfuis. Je reviens, je saisis, je traduis. Ce qui vient des autres, qui passe par mon corps et s'en va je ne sais où.

Tu es triste ? je lui demande. Non elle dit, et tu sais pourquoi. Vivre ici c'est attendre le retour. Des fleurs, des animaux migrateurs, des êtres qui comptent. Tu es une parmi eux. Je t'attendrai.

Je ne dis rien, je suis émue. Voilà ma libération. L'incertitude : une promesse de vie.

Été

Devant moi, la pile constituée par mes carnets de terrain au Kamtchatka ces cinq dernières années. Vert, bleu, beige, bleu, marron, noir, tout en bas. Je tourne la tête pour regarder par la fenêtre, la Meije est illuminée par une douce lumière de fin de journée. Je me décide, je soulève la pile ; j'ouvre le cahier noir par la fin, je tourne les dernières pages.

30 août 2014

« Comment se cacher de ce qui doit s'unir à vous ? (Déviation de la modernité) »
René Char, 77, Feuillets d'Hypnos

Que veut dire être en retard sur la vie ?
Savoir sentir vouloir toujours trop tard
Désirer en amont du monde
Ceux qui sont absents ceux qui résistent ceux qui retiennent

Les forêts les montagnes dans leurs pupilles
Être ligoté à leur liberté à leur insoumission
Être tenu par l'impossible
Par ce qui ne doit pas advenir
Ces rencontres qui mettent en péril
L'institution du collectif sa stabilité
Ces liens en forme de potentiels
Qui confèrent à l'explosion à la fragmentation

Fauves figés stupéfaits pétrifiés
Fauves aux trajectoires incalculables
Fauves qui assaillent le vide
Parce que leur avenir se confond avec le crépuscule
Et parce que c'est peut-être tout ce qu'il y a

Fauves qui offrent leur soumission qui cessent de vouloir
Fauves qui brandissent les armes.

Je ferme le cahier, pensive. Je le range précautionneusement sur l'étagère, un léger sourire se dessine sur mes lèvres. Je crois que le cahier noir a coulé dans les carnets de couleur depuis l'ours ; je crois qu'il n'y aura plus de cahier noir ; je crois que ce n'est pas grave. Il y aura une seule et même histoire, polyphonique, celle que nous tissons ensemble, eux et moi, sur tout ce qui nous traverse et qui nous constitue.

Je retourne m'asseoir à ma table. Je dépose mes carnets de terrain à côté de moi, à portée de main. C'est l'heure. Je commence à écrire.

Composition : Entrelignes (64).
Achevé d'imprimer
sur Roto-Page
par l'Imprimerie Floch
à Mayenne, en octobre 2022.
Dépôt légal : octobre 2022.
1er dépôt légal : septembre 2019.
Numéro d'imprimeur : 101223.

ISBN 978-2-07-284978-7 / Imprimé en France.

559031